Formula1

1950 – today | heden

Rainer W. Schlegelmilch

Text/Tekst: Hartmut Lehbrink
Foreword/Voorwoord: Bernie Ecclestone

Formula1

1950 – today | heden

Feierabend

At the Italian Grand Prix in 2003 Bernard Ecclestone honored the "F1-Art" team with a visit on the occasion of the first exhibition of the group of photographers that has dedicated itself to preserving art in Formula One photography. Clockwise: Bernie Ecclestone, Paul-Henri Cahier (F), Boris Schlegelmilch (D), Steve Domenjoz (CH), Masakazu Miyata (J), Filippo di Mario (I), Martyn Elford (GB), Thierry Gromik (F) and Rainer W. Schlegelmilch (D).

Tijdens de Grand Prix van Italië in 2003 bracht Bernard Ecclestone een bezoek aan de eerste tentoonstelling van de groep van fotografen die zich inzet voor de instandhouding van de kunst in de Formule 1-fotografie, "F1-Art". Met de klok mee: Bernie Ecclestone, Paul-Henri Cahier (F), Boris Schlegelmilch (D), Steve Domenjoz (CH), Masakazu Miyata (J), Filippo di Mario (I), Martyn Elford (GB), Thierry Gromik (F) en Rainer W. Schlegelmilch (D).

Formula 1:
A photographic history
Foreword by Bernie Ecclestone

I cannot remember exactly when or where I first met Rainer Schlegelmilch, but it must have been way back in the 1960s because he has been a part of the Formula 1 scene for almost as long as I have. Certainly, I remember him as one of the most industrious photographers during the years when I owned the Brabham team, and he must have used many rolls of film in recording our two victorious world championships.

His reputation as one of the sport's outstanding photographers has been widely acknowledged and well earned and it is a fitting tribute to the determination, energy, passion and professionalism with which he has always gone about his work, often in the most difficult conditions.

For more than four decades Rainer's photography has been used extensively to illustrate feature articles and news stories in many magazines throughout the world, while in recent years it has provided the core of some of the most prestigious motor racing books and calendars yet published.

Now, through the pages of this book, he encompasses the entire history of the Formula 1 World Championship from 1950 to the present day, augmenting his own pictures with a carefully chosen selection from the archives of other renowned photographers to cover the period before he was able to bring his own cameras and lenses into focus.

As you turn the pages you will see in graphic detail the extent to which Formula 1 and the teams, drivers, cars and infrastructure involved in it have undergone both evolutionary and fundamental changes in its transformation from what was once a relatively special-interest activity into the world's foremost sporting and promotional platform.

Although these days it is primarily through the medium of television that Formula 1 reaches most of its global audience, the still photographers continue to perform an important function in satisfying the needs of the printed media as well as building important archive material for the future.

Today, in the interests of safety, they are given less freedom of movement at the trackside than they enjoyed in the past, but this is where the artistry of the top photographers comes into play in creating the pictures of outstanding merit. In the pit area, too, photographers and film makers have had to develop new skills in quickly identifying picture opportunities in ever more congested surroundings, then exploiting them without impeding the increasingly sophisticated preparatory work going on in the team garages.

I am proud to have been able to play my part in the transformation of Formula 1 into such a major global entertainment, and although it is now a product of the television age I am delighted that through Rainer and his colleagues in the photographic and publishing worlds its attractions both past and present are also being presented to an ever widening audience through books such as this.

Formule 1:
een geschiedenis in beelden
Voorwoord van Bernie Ecclestone

Ik kan me niet meer precies herinneren wanneer of waar ik Rainer Schlegelmilch voor het eerst heb ontmoet, maar het moet ergens in de jaren zestig zijn geweest. Hij maakt immers al net zolang deel uit van de wereld van de Formule 1 als ik. Ik herinner me hem als een van de meest bedrijvige fotografen. Dat was in de tijd dat ik het Brabham-team bezat en vermoedelijk heeft hij veel filmrolletjes gebruikt om onze beide wereldtitels vast te leggen.

Zijn reputatie als een van de beste sportfotografen is algemeen bekend en deze erkenning is een passend eerbetoon aan het doorzettingsvermogen en de energie, passie en professionaliteit waarmee hij zijn werk uitvoert, vaak in moeilijke omstandigheden.

Al meer dan veertig jaar worden de foto's van Rainer veelvuldig gebruikt ter illustratie van thema-artikelen en nieuwsberichten in talrijke tijdschriften over de hele wereld. In de laatste jaren sierde zijn werk enkele van de meest prestigieuze motorsportboeken en kalenders.

Op de volgende bladzijden van dit boek ontsluit hij de complete geschiedenis van de Wereldkampioenschappen Formule 1 van 1950 tot aan vandaag. Zijn eigen foto's zijn aangevuld met zorgvuldig uitgekozen opnames uit de archieven van andere vermaarde fotografen. Zij beschrijven de tijden waarin Rainer nog niet zelf in staat was zijn eigen camera's en lenzen in te zetten.

Wie door het boek bladert, zal in detail kennis maken met de wijze waarop de Formule 1 en zijn teams, coureurs, auto's en infrastructuur zowel evolutionaire als fundamentele veranderingen hebben ondergaan: van een activiteit voor een relatief klein groepje geïnteresseerden tot een van 's werelds meest vooraanstaande takken van sport en promotionele platformen.

Hoewel de Formule 1 tegenwoordig vooral dankzij de televisie een wereldwijd publiek bereikt, blijven fotografen een belangrijke functie spelen. Ze zijn niet alleen onmisbaar voor kranten en tijdschriften, maar ook voor de fotoarchieven van de toekomst.

Vandaag de dag beschikken fotografen uit veiligheidsoverwegingen over minder bewegingsvrijheid aan het circuit dan vroeger. Het is juist hier waar de artistieke kwaliteiten van de beste fotografen om de hoek komen kijken. Vooral in de pitsstraten moeten fotografen en filmmakers nieuwe vaardigheden aanleren om in de kortst mogelijke tijd te herkennen welke momenten voor opnames geschikt zijn. De omgevingen hier zijn hectischer dan waar dan ook en ze moeten ervoor waken de teams niet in hun toenemend complexe werkzaamheden te storen.

Ik ben er trots op dat ik heb mogen bijdragen aan de veranderingen in de Formule 1, die uitgegroeid is tot een van de belangrijkste mondiale vormen van entertainment. En ondanks dat de Formule 1 tegenwoordig een product is van het televisietijdperk, ben ik blij dat dankzij mensen als Rainer en zijn collega-fotografen en uitgevers de aantrekkingskracht van de Formule 1 van vroeger en nu aan een alsmaar groter publiek kan worden gepresenteerd, zoals in dit boek.

Monaco 1955, S. Moss (6), J. M. Fangio, A. Ascari (26)

Monaco 2003, R. Schumacher ahead of J. P. Montoya

Races

50

The years 1950 and 51 were the prologue to the Drivers' World Championship and the epilogue to a mixed formula which had regulated the coexistence of blown 1.5-litre and unblown 4.5-litre engines on the grand prix circuits since 1947. Alfa Romeo and Ferrari had taken up opposite positions. In 1950, the Alfettas still reigned supreme, their drivers Dr Giuseppe Farina and Juan Manuel Fangio having out all six grands prix between them.

Meanwhile Ferrari kept increasing engine size as well as output up to the 375/F1 (4493 cc, 350 hp at 7000 rpm) at Monza. Going into the 1951 season the rivals were neck-and-neck, Alfa vs. Ferrari, Fangio vs. Alberto Ascari, whose team-mate Froilan Gonzalez beat off the Alfetta challenge for the first time in Silverstone, to the glee of his boss. Only at the finale in Barcelona did Fangio prevail in the duel of the red cars, notching up his first championship.

Silverstone (GB), start, L. Fagioli in the lead of J. M. Fangio;

Sliverstone (GB), from left to right: R. Parnell, G. Farina, L. Fagioli

▼ Bremgarten (CH), G. Farina, J. M. Fangio

De jaren 1950 en 1951 vormen de proloog van het wereldkampioenschap en de epiloog van een formule die sinds 1947 de Grand Prix-races bepaalde: 1,5 liter met compressor of 4,5 liter zonder compressor. Alfa Romeo en Ferrari bepaalden het beeld, hoewel de Alfetta's beter waren. Hun coureurs, Dr. Giuseppe Farina en Juan Manuel Fangio, wonnen in 1950 alle zes Grand Prix-races. Ferrari werkte ondertussen aan betere boliden, resulterend in de 375/F1 (4493 cm^3, 350 pk bij 7000 nm/min.) in Monza. Daarmee waren de posities voor 1951 vastgelegd: Alfa tegen Ferrari en Fangio versus Alberto Ascari. Tot groot genoegen van zijn chefs wist Ascari's teamgenoot Froilan Gonzalez als eerste Ferrari-coureur in Silverstone de Alfetta's te verslaan. Pas in de laatste race in Barcelona behaalt Fangio in een rechtstreeks duel de eindzege en daarmee zijn eerste wereldtitel.

Silverstone (GB), F. Gonzalez

▼ Monza (I), J. M. Fangio, G. Farina, A. Ascari

The FIA's decision to restrict the engine capacity for 1952 and 53 to two litres was also meant to prevent the tedium of a Ferrari whitewash. Formula 2, which had been in operation since 1948 and was to be the basis for the future championship, was already teeming with variety. But ironically the guardians of the rules in Paris played into the very hands of the commendatore. His tipo 500/F2, with twin ignition, four carburettors and two camshafts on top of its four rugged cylinders, was swift and nimble and the symbiosis with Alberto Ascari worked extremely well, winning six out of seven races in 1952. Only in 1953 did the battle between the North Italian neighbours Ferrari and Maserati really take off, but then it was the Milan driver again who gained the upper hand with five victories and one slip-up in the eight grands prix of that year, not least prevailing over his archrival Fangio in the Maserati A6GCM.

Silverstone (GB), A. Ascari

Monza (I), drive up to the Parabolica-curve

▼ Spa-Fancorchamps (B), A. Ascari leads through Eau Rouge

Dat de FIA de cilinderinhoud in 1952 en 1953 beperkt tot twee liter is opnieuw een zet tegen de dreigende Ferrari-monocultuur. In de Formule 2 waar de regel al sinds 1948 en voor het toekomstige wereldkampioenschap geldt, wemelt het van de diverse modellen. Onbewust speelden de Parijse regelgevers de commendatore echter in de kaart. De Tipo 500/F2, een zuigermotor met een dubbele ontsteking, vier carburateurs en twee nokkenassen aan het hoofd van de vier krachtige cilinders, blijkt heel erg snel te zijn. Bovendien is de symbiose met Alberto Ascari een succesformule: hij wint zes van de zeven races in 1952. De Noord-Italiaanse broedertwist met de Maserati's ontvlamt pas echt in 1953. Maar de Milanesen hebben met vijf zeges en een enkele misser in de achtste Grand Prix dit jaar de overhand, ook tegen hun sterke en eeuwige rivaal Fangio in een Maserati A6GCM.

53

Bremgarten (CH), J. M. Fangio leads ahead of A. Ascari and O. Marimon

▼ Nürburgring (D), A. Ascari

54

The 2.5-litre formula, introduced in 1954, was due to last until 1957 but was later extended to 1960. The first two years saw a renaissance of the Silver Arrows, which soared into the limelight with a double victory at Reims on 4 July 1954, Juan Manuel Fangio leading home Karl Kling in the streamlined Mercedes-Benz W196. From the German Grand Prix onwards, there was an open-wheeled version as well. Mercedes team boss Alfred Neubauer had managed to win over the great Argentinian as the best driver of the older generation, adding Stirling Moss in 1955 as the brightest prospect of the younger. In both years, Fangio became world champion. Ferrari had to content themselves with the odd crumb falling from the Stuttgart marque's tables, Froilan Gonzalez and Mike Hawthorn notching up victories at Silverstone and Pedralbes in 1954 and Maurice Trintignant winning in Monaco in 1955.

Nürburgring (D), J. M. Fangio

Monza (I), A. Ascari, J. M. Fangio

▼ Reims (F), J. M. Fangio (18) and K. Kling

Vanaf 1954 is een 2,5-liter-formule van kracht, die eigenlijk tot 1957 mee zou gaan maar wordt geprolongeerd tot 1960. De eerste twee jaren staan in het teken van de furieuze terugkeer van de 'Silberpfeile', met een dubbele zege in Reims op 4 juli 1954: Juan Manuel Fangio wint voor Karl Kling in een volledig gesloten Mercedes-Benz W196. Tijdens de Grand Prix van Duitsland wordt een variant zonder gestroomlijnde wielkappen ingezet. De teamleider van Mercedes, Alfred Neubauer, had de grote Argentijn, die als de beste coureur van de oude garde werd beschouwd, voor zich weten te winnen. In 1955 krijgt Fangio gezelschap van Stirling Moss, de beste van de nieuwe lichting. Maar Fangio wint in beide seizoenen de titel. Voor Ferrari blijven alleen maar een paar kruimels over: in 1954 een zege in Silverstone door Froilan Gonzalez en in Pedralbes door Mike Hawthorn, en in 1955 in Monaco door Maurice Trintignant.

Aintree (GB), winner S. Moss (left) and J. M. Fangio

Zandvoort (NL), J. M. Fangio, S. Moss ▼ Monza (I), J. M. Fangio leads ahead of S. Moss

▼ Monza (I), S. Moss

Races

56

When the glorious Mercedes racing stable was dissolved surprisingly on 22 October 1955 its superstars Juan Manuel Fangio and Stirling Moss were available again on the drivers' transfer market. Their paths parted, however: The Briton joined Maserati, the Argentinian went to service with Ferrari who were just busy assimilating the Lancia Formula 1 cars, donated to them in 1955, to their own creeds and standards. His fourth championship, however, was not a walkover at all like the two preceding ones, as he owed it to the grand gesture of his team-mate Peter Collins, who gave him his car after Fangio's own had been sidelined in Monza by suspension damage. Moss had to be content with runner-up, which happened again in 1957 when he was driving for Vanwall. 46-year-old Fangio, however, notched up his fifth title in the Maserati 250 F, driving his greatest race at the Nürburgring.

Nürburgring (D), J. M. Fangio

Buenos Aires (RA), J. Behra

Monaco, S. Moss

Monaco, L. Musso

▼ Nürburgring (D)

Toen de glorierijke renstal van Mercedes op 22 oktober 1955 volledig onverwacht werd opgedoekt, stonden de topcoureurs Juan Manuel Fangio en Stirling Moss ineens op straat. Ze gingen ieder hun eigen weg: de Brit monsterde bij Maserati aan, de Argentijn bij Ferrari, waar men net bezig was om het in 1955 gratis verworven wagenpark van de Scuderia Lancia aan te passen aan de eigen standaards. Fangio's vierde wereldtitel was in tegenstelling tot de twee voorafgaande geen simpele doormars. Pas een grootmoedig gebaar van zijn teamgenoot Peter Collins, die Fangio in Monza met zijn wagen liet rijden, bracht de titel in kannen en kruiken. Moss moest net als in 1957 genoegen nemen met een troostprijs, dit keer in een Vanwall. Fangio daarentegen behaalde zijn vijfde titel in een Maserati 250 F en reed op de gevorderde leeftijd van 46 op de Nürburgring de race van zijn leven.

57

Nürburgring (D)

▼ Monaco, J. M. Fangio

Rouen (F), J. M. Fangio

▼ Pescara, S. Moss

Twilight of the gods dawned towards the end of Formula 1's first decade. After the 1958 French Grand Prix at Reims Fangio hung up his brown helmet for good, much to the relief of the young ones who had been completely overshadowed by the maestro's charismatic and authoritarian father figure. But they seemed to be haunted by a curse. In the same season Luigi Musso, Peter Collins and Stuart Lewis-Evans lost their lives in racing accidents and so did Mike Hawthorn, that year's world champion in a Ferrari with Moss in the Vanwall as runner-up, as the consequence of a little duel with racing stable owner Rob Walker on a public road on 22 January 1959. Moss had won the 1958 Argentinian curtain raiser in Walker's tiny rear-engined Cooper. When Jack Brabham clinched his first title in 1959 in a Cooper as well that sounded the death knell for the front-engined dinosaurs.

Monaco, M. Hawthorn, S. Moss

Nürburgring (D), S. Moss

▼ Spa-Francorchamps (B), M. Hawthorn

Aan het einde van het eerste decennium van de nieuwe Formule 1 dreigt een teloorgang. Na de Grand Prix van Frankrijk in Reims in 1958 hangt Fangio zijn bruine helm aan de wilgen. De nieuwe lichting, die zwaar te lijden had onder de charismatisch-autoritaire vaderfiguur uit Argentinië, ervaart dit als een bevrijding, maar er blijkt een vloek op te rusten: nog datzelfde jaar komen Luigi Musso, Peter Collins en Stuart Lewis-Evans om het leven. Op

22 januari 1959 verongelukt ook Mike Hawthorn, de wereldkampioen van Ferrari vóór Moss, na een raceduel in een Vanwall met renstaleigenaar Rob Walker ergens op een landweg. Moss won de eerste race in 1958 in Buenos Aires in Walkers kleine Cooper met de motor achterin. Nadat Jack Brabham in 1959 eveneens in een Cooper wereldkampioen wordt, heeft de voorwielaandrijving zijn beste tijd gehad.

Monaco, J. Brabham in the lead

Monza (I), P. Hill

▼ Zandvoort (NL), H. Schell

Reims (F), J. Behra

▼ Reims (F), S. Moss

60

The change into the next decade ushered in a new era again as the 1960 season was still contested with 2.5-litre cars, whereas 1961 was the first year of the 1.5-litre formula, the former Formula 2. Phil Hill's 1960 win in a Ferrari Dino on the banked Monza track was the swansong of the classical front-engined layout, and also a hollow victory as the British contingent had stayed at home for safety reasons. World champion was again Brabham in the Cooper, his Climax four-cylinder unit behind him. In 1961 the British teams lagged behind. Their petition with racing's governing body, the CSI, to prolong the existing formula had been turned down. Five of that year's eight races saw triumphs of the all-conquering Ferrari 156/F1, two were won by the bald-headed driving genius Stirling Moss and one by Innes Ireland, both in Lotuses. With his Ferrari team-mate Count von Trips killed at Monza, Phil Hill took the title.

Monaco, S. Moss

Reims (F), J. Brabham

▼ Monaco, P. Hill

Races

De decenniumwisseling markeert opnieuw een keerpunt: wordt in 1960 nog met 2,5-liter-raceauto's gereden, geldt al in 1961 de 1,5-liter-formule, de vroegere Formule 2. Phil Hills zege in 1960 met de oude Ferrari op het bochtige circuit van Monza is de zwanenzang van de voorwielaandrijving, maar ook een schamel succesje – de Britse renstallen waren uit veiligheidsoverwegingen niet eens gekomen. Wereldkampioen was opnieuw Brabham, in een Cooper, met de Climax-viercilindermotor direct achter in zijn rug. In 1961 hebben de Britse teams het nakijken en hun verzoek om de bestaande formule te prolongeren wordt door de motorsportbond CSI afgewezen. De Ferrari 156/F1 wint vijf van de acht races. Stirling Moss wint twee races en Innes Ireland behaalt één zege, beiden in een Lotus. Na het dodelijke ongeval van zijn teamgenoot Von Trips in Monza wordt Ferrari-coureur Phil Hill wereldkampioen.

Aintree (GB)

▼ Zandvoort (NL), P. Hill

▼ Monza (I), Ferrari cars, the first two are P. Hill and R. Ginther

▼ Monaco, v. Trips

GP

John Cooper and his son Charles introduced lightweight design into Formula 1 and reaped the first fruit. However, it was Colin Chapman who honed it to perfection. His 1962 Lotus 25 was a work of art, a slender and beautiful projectile. An exceptionally sturdy monocoque made from riveted boxes of aluminium sheets served as its backbone, the driver doing his job in an almost horizontal position. The fast Scot Jim Clark had joined Chapman as a kindred spirit. But in its first year that superior trinity of two men and a concept were still denied the benefit of the title. The championship was decided in the final race, the South African Grand Prix at East London, in favour of Graham Hill in the BRM. The Ferraris, almost unbeatable in 1961, found themselves in the wilderness. But there was an important new constructor. From the German Grand Prix onwards Jack Brabham was driving for Brabham.

Spa-Francorchamps (B)

Spa-Francorchamps (B), J. Clark

▼ Spa-Francorchamps (B), R. Rodriguez

John Cooper en zijn zoon Charles hebben de lichte bouwwijze in de Formule 1 populair en kansrijk gemaakt, Colin Chapman zorgde voor de perfectie. Zijn Lotus 25 uit 1962 is een wonder van techniek, een slank en prachtig projectiel. De ruggengraad is een ijzersterke monocoque van geklonken aluminiumblik, waar de coureur als het ware in ligt. Als geestverwante partner haalde Chapman de pijlsnelle Schot Jim Clark aan boord. Voor deze supe-rieure drie-eenheid van twee mannen en een concept is echter niet meteen een titel weggelegd: het kampioenschap wordt in de laatste race in het Afrikaanse East London beslist in het voor-deel van Graham Hill in een BRM. Van Ferrari, in 1961 nog bijna onverslaanbaar, is dit seizoen niets te zien. Niettemin is er een nieuwe belangrijke constructeur te vermelden: vanaf de Grand Prix van Duitsland start Jack Brabham in een Brabham.

Spa-Francorchamps (B), winner J. Clark, G. Hill, P. Hill

Spa-Francorchamps (B), P. Hill ▼ Spa-Francorchamps (B), W. Mairesse's Ferrari in flames

GP

What had been indicated the season before did materialise in 1963: Nobody could hold a candle to Jim Clark and the Lotus 25. He secured the first of his two world championships notching up seven victories in ten races, thus achieving a draw in the duel with his tough arch-opponent Graham Hill. The latter, driving for BRM, clinched the first of his five Monaco victories and also won the United States Grand Prix in Watkins Glen in October. Ferrari availed themselves of the services of sevenfold motorcycle world champion John Surtees to restore their ailing squad to competitiveness, and the self-willed Briton soon made his presence felt by winning the German Grand Prix at the Nürburgring. But still the red cars from Maranello with their ageing V6 units were fighting an uphill struggle against their English rivals whose eight-cylinder engines, like their own, were now fed via fuel injection.

Zandvoort (NL), J. Clark (6), G. Hill (12), B. McLaren (20)

Spa-Francorchamps (B), R. Ginther

Zandvoort (NL), D. Gurney

▼ Zandvoort (NL), J. Surtees

Wat zich een jaar eerder al begon af te tekenen, wordt in 1963 werkelijkheid: tegen Jim Clark en zijn Lotus 25 is geen kruid gewassen. Met zeven overwinningen uit de tien races van dat seizoen wint hij de eerste van zijn twee wereldtitels en komt daarmee op gelijke hoogte met zijn taaie tegenstander Graham Hill. Hill haalt in een BRM zijn eerste van vijf zeges in Monaco en wint ook de Grand Prix van de VS in Watkins Glen in oktober.

Ferrari verzekert zich voor een grondige diagnose en therapie van zijn sukkelende team van de diensten van de zevenvoudige motorfietskampioen John Surtees. De eigenzinnige Brit is op de Nürburgring al aan zet, maar ook daar kunnen de rode wagens uit Maranello met hun verouderde V6-motoren niet het hoofd bieden aan hun Engelse rivalen, die over achtcilindermotoren van Climax en BRM met automatische injectie beschikken.

Monaco, J. Clark

Monaco, J. Clark exits his car due to gear box damage

▼ Monaco, G. Hill

GP

Three men were still in the 1964 title hunt prior to the finale in Mexico City on 25 October, BRM-stalwart Graham Hill with victories in Monaco and Watkins Glen, Lotus star Jim Clark, who had won at Zandvoort, Spa and Brands Hatch, the first British Grand Prix to be driven on the bumpy Kentish circuit, and John Surtees, who had again flown the Ferrari flag successfully at the Nürburgring. In the end everything went in his favour. Bandini's Ferrari shunted Hill's BRM, damaging his rear end, Clark's Lotus was slowed by a fatal oil leak. At the beginning of the last lap the Ferrari crew, livid, waved a hammer at Bandini who gave way to Surtees grudgingly. The Englishman finished second to Dan Gurney's Brabham and clinched the title. The 1964 grands prix represented about 22 hours of driving but the championship was decided in the last three minutes.

Monaco, J. Clark

Monaco, G. Hill

▼ Monaco, J. Brabham

Races

Kort voor de finale in Mexico City op 25 oktober maken drie mannen aanspraak op de titel van 1964, BRM-coureur Graham Hill, die won in Monaco en Watkins Glen, Lotus-piloot Jim Clark, die de Grand Prix op zijn naam schreef van Zandvoort, Spa en Brands Hatch – overigens de eerste Engelse Grand Prix op het hobbelige circuit in Kent – en John Surtees, die de Ferrari-eer op de Nürburgring en in Monza hooghield. Uiteindelijk gaat de laatste er met de buit vandoor. Bandini's Ferrari ramt Hills BRM en beschadigt deze aan de achterkant. Clarks Lotus verliest olie en valt uit. Aan het begin van de laatste ronde zwaait de Ferrari-crew met een hamer naar Bandini, die grommend Surtees voor moet laten gaan. Surtees wordt tweede achter Dan Gurney in een Brabham en is kampioen. In totaal duurden de Grand Prix-races van dit seizoen 22 uur, maar de beslissing valt pas in de laatste drie minuten.

Zandvoort (NL), J. Surtees (2), J. Brabham (14), L. Bandini (4) and R. Ginther (8)

▼ Zandvoort (NL), J. Clark in the lead ahead of G. Hill and D. Gurney

GP

In the 1965 season Jim Clark reigned supreme in Formula 1 for the second time, an absolute monarch in the Lotus 33 that had been evolved from its equally brilliant type 25 predecessor by Colin Chapman. The team could even afford to be absent in Monaco in order to create a furore somewhere else: the Flying Scot winning at Indy in the Lotus 38, the first ever rear-engined victory at the Brickyard. Archrival Graham Hill, in the Owen Racing Organisation's BRM, had to make do with second place in the standings, followed by new BRM recruit Jackie Stewart, who finished sixth in his first grand prix in East London and scored his maiden win in Monza. For Ferrari, second places were peak achievements. It was typical that John Surtees was only fourth on the grid at the Nürburgring. The last race in Mexico was won by Richie Ginther's Honda, debut for the Japanese and finale for the 1.5 litre cars.

Monaco, J. Brabham (1), L. Bandini, J. Stewart (4)

Monaco, J. Stewart

Ook 1965 beheerst Jim Clark de Formule 1. De plankgaskoning met autocratische allures rijdt in een door Colin Chapman geperfectioneerde Lotus 33, die voortkwam uit de niet minder briljante Lotus 25. Clark kan het zich permitteren in Monaco te ontbreken en elders furore te maken. Dat weekeinde wint de vliegende Schot met een Lotus 38 in Indianapolis, een maidensucces voor een wagen met een motor achterin. Voor zijn eeuwige rivaal Graham Hill in een BRM rest slechts de tweede plaats. Hij wordt gevolgd door een nieuwe BRM-ster, Jackie Stewart, die zesde wordt in zijn eerste race in East London en in Monza wint. Voor Ferrari tellen in 1965 zelfs tweede plaatsen. Tekenend is de startpositie van 'Big' John Surtees op de Nürburgring. Hij staat in de eerste rij, links aan de buitenkant: de vierde startplek. Voor de finale in Mexico tekent Richie Ginther, in een Honda. Vaarwel 1,5-liter-motor.

Clermont-Ferrand (F), D. Gurney

▼ Spa-Francorchamps (B), J. Clark

Spa-Francorchamps (B), G. Hill

Spa-Francorchamps (B), L. Bandini ahead of J. Brabham　▼ Spa-Francorchamps (B), J. Rindt

GP

Ferrari went into 1966, the first year of the three-litre formula, with the burden of being favourites. They had been running three-litre cars since the time of the Testa Rossa racing sports car and the 250 Granturismos. Moreover, the opposition was in a state of utter confusion. Brabham had joined forces with Repco, a nobody in the realm of engine-building, Cooper and Maserati had to get their act together to form a symbiosis. Two top drivers had turned into constructors as well, Dan Gurney with his Anglo American Racers and Bruce McLaren. These two and Lotus tried out interim and emergency solutions and BRM were busy developing their cumbersome H16 unit. But then John Surtees, having fallen out with the Scuderia after scoring his last victory for them in the Ardennes rains of Spa, carried on with Cooper. Jack Brabham became world champion driving a Brabham – a triumph of the happy medium.

Nürburgring (D), J. Surtees

Nürburgring (D), D. Gurney   ▼ Nürburgring (D), J. Stewart

Nürburgring (D), J. Brabham

▼ Nürburgring (D), J. Brabham the winner, ahead of J. Surtees (left) and J. Rindt

In 1966, jaargang een van de 3-liter-formule, is Ferrari de grote favoriet. Wat 3-liter-motoren betreft kent de Scuderia het naadje van de kous uit de tijd van de sport- en granturismo-wagens, de Testa Rossa en 250 GT. Bovendien heerst bij de concurrentie chaos: Brabham probeert het met Repco, een nobody wat motorenbouw betreft, en Cooper en Maserati moeten eerst nog een robbertje vechten om dichter bij elkaar te komen. Twee topcoureurs beproeven hun geluk als constructeurs in een personele unie: Dan Gurney met zijn Anglo American Racers en Bruce McLaren. Zij en Lotus-zetten in op nood- en tussenoplossingen. BRM heeft de handen vol aan de weerbarstige H16-motor. Maar dan neemt John Surtees na een verregende race in Spa woedend ontslag bij de Scuderia en stapt over naar Cooper. De wereldtitel belandt ten slotte bij de kerngezonde middelmaat: bij Jack Brabham in een Brabham.

Zandvoort (NL), J. Siffert

Spa-Francorchamps (B), J. Rindt

Spa-Francorchamps (B), J. Surtees

Monza (I), M. Parkes ahead of D. Hulme

▼ Zandvoort (NL), J. Brabham

GP

4 June 1967 was a very special day in the curriculum vitae of Formula 1. From the Dutch Grand Prix at Zandvoort onwards the Ford DFV V8 engine, the centrepiece of a carefully mapped-out campaign by Henry Ford II against Enzo Ferrari, became Formula 1's benchmark for many years to come. It did so with a bang when the Flying Scot Jim Clark took the chequered flag and set the fastest lap in the equally brand-new Lotus 49. Others' achievements paled in comparison. Ferrari spent the season in the quest for tenths of seconds and horsepower, and their number one driver Lorenzo Bandini suffered fatal burns in Monaco. A Honda with John Surtees at the wheel scored the marque's only win in the three-litre epoch at Monza. But again the magic formula for the title was clad in the two words Brabham-Repco. This time, however, its holder's name was Denny Hulme.

Monaco, L. Bandini

Zandvoort (NL), D. Gurney

Monaco, G. Hill gives J. Siffert a lift

▼ Silverstone (GB), J. Rindt

▼ Spa-Francorchamps (B), J. Stewart

Zondag 4 juni 1967, de dag waarop de Grand Prix van Nederland in Zandvoort plaatsvindt, is een keerpunt in het bestaan van de Formule 1. In het middelpunt van een goed voorbereide campagne van Henry Ford II tegen Enzo Ferrari – sinds vele jaren de maatstaf – staat de Ford DFV-V8, die meteen opzien baart: de zege en snelste ronde voor de vliegende Schot Jimmy Clark in een splinternieuwe Lotus 49. Naast dit vlammend verschijnsel verbleken de snufjes van de andere teams. Bij Ferrari houdt men zich bezig met het zoeken naar de verloren tienden van een seconde en pk's. Bovendien verongelukt de hoop van het team, Lorenzo Bandini, in Monaco dodelijk. De Honda met John Surtees aan het stuur haalt in Monza zijn eerste en enige overwinning. Opnieuw luidt de toverformule voor de titel: Brabham-Repco. Met één verschil: dit keer heet de winnaar Denny Hulme.

67

Nürburgring (D), C. Amon

Nürburgring (D), D. Hulme

Zandvoort (NL), J. Clark   ▼ Zandvoort (NL), J. Clark   ▼ Spa-Francorchamps (B), J. Brabham

GP

Jim Clark, the dominant driver of the decade, was killed in a Formula 2 race at Hockenheim on 8 May 1968. World champion, for the second time, was Graham Hill, who flew the Lotus flag in the Scot's stead. In Monaco its traditional colour scheme of green and yellow had been replaced by the garish red, white and gold of the cigarette brand Gold Leaf, Formula 1 mastermind Colin Chapman being the first to tap money sources from outside the realm of the sport. Innovation was also linked to the Ferrari name. The first rear aerofoil, mounted on a scaffold of fine struts, appeared at Spa on the 312/F1, balanced at the front end by two side spoilers next to the radiator opening. But only one grand prix victory went to the Scuderia's driver Jacky Ickx, at Rouen in the rain. Apart from that it was easier to win with a Ford Cosworth DFV behind you. That happened in the other eleven grands prix of that year.

Monaco, D. Hulme passes the BRM of P. Rodriguez;

▼ Spa-Francorchamps (B), the remains of J. Oliver's Lotus

Op 8 mei 1968 overlijdt bij een Formule 2-race in Hockenheim Jim Clark, de dominerende coureur van de laatste tien jaar. Graham Hill wordt voor de tweede keer wereldkampioen en houdt de Lotus-eer hoog. Apropos Lotus: vanaf Monaco rijden de wagens niet meer in de traditionele kleuren groen-geel, maar in het rood, wit en goud van het sigarettenmerk Gold Leaf. Pionier en querulant Colin Chapman is de eerste die geldbronnen aanboort buiten de auto-industrie. Ook de naam Ferrari staat voor vernieuwing. In Spa ontspruit aan de Tipo 312/F1 op een frame van dunne buizen de eerste achtervleugel, met kleine spoilers aan de uiteinden. Toch behaalt slechts één Ferrari-coureur een succes: Jacky Ickx, in de regen van Rouen. Voor de rest geldt dat winnen een stuk makkelijker is met een Ford DFV in de rug, zoals in de andere elf Grand Prix-races van dat seizoen.

Spa-Francorchamps (B), B. McLaren

Rouen (F), J. Ickx (26), J. Stewart (28), J. Rindt (2)

▼ Jarama (E), G. Hill

GP

In 1969 Formula 1 turned into the domain of the Ford Cosworth DFV, now producing 430 hp at 9500 rpm compared to 400 hp in its first year in 1967. Ferrari quoted the same figure for their V12 unit at 11000 rpm but the English power plant was much more user-friendly in terms of its driveability. All eleven races were won by Ford customers, who even settled the first ten places amongst themselves at Silverstone. Jackie Stewart emerged victorious in the British Grand Prix and did so in the title hunt as well in a Matra, ably directed by Ken Tyrrell. The twelve-cylinder cars were left with just two third places: for John Surtees' BRM at Watkins Glen, and for Chris Amon at the wheel of the Ferrari 312 in Zandvoort. For the first five races the New Zealander had to shoulder the burden of being the Scuderia's sole representative, a position taken up by Pedro Rodriguez in the second half of the season.

Monaco, J. Stewart

▼ Nürburgring (D), J. Ickx, Sieger

In 1969 is de Formule 1 tot een aangelegenheid van de Ford Cosworth DFV-motor verworden, die intussen bij 9500 toeren/min. 430 pk op de assen brengt, tegenover 400 pk in het geboortejaar 1967. Met dit cijfer presenteert ook Ferrari zijn V12 bij 11.000 toeren/min., maar de Engelse motor blijkt veel elastischer. Alle elf races worden gewonnen door afnemers van Ford, die in Silverstone zelfs plaats één tot en met tien innemen. Jackie Stewart wint de Grand Prix van Engeland en het kampioenschap in een Matra onder het vakkundig oog van stafchef Ken Tyrrell. De twaalfcilindermotoren moeten genoegen nemen met twee derde plaatsen: de BRM van John Surtees in Watkins Glen en de Ferrari 312 van Chris Amon in Zandvoort. De last van het rode merk rust in de eerste vijf races geheel op de schouders van de Nieuw-Zeelander. Tijdens de tweede helft van het seizoen fungeert Pedro Rodriguez als Ferrari-solist.

Silverstone (GB), G. Hill

▼ Clermont-Ferrand (F), J. Rindt

GP

In 1970, Formula 1, the most fascinating sport of them all, but also capable of many things, achieved utter absurdity: a dead world champion. Jochen Rindt was killed during practice at Monza. The Austrian had already won at Monaco in the Lotus 49C, also scoring victories at Zandvoort, Clermont Ferrand, Brands Hatch and Hockenheim in its wedge-shaped successor the Lotus 72, and amassed so many points that his title was no longer in danger.

In that season, the Grim Reaper claimed the lives of another two prominent victims. At Goodwood, Bruce McLaren died testing one of his CanAm cars. In Zandvoort, Piers Courage was burnt to death in the magnesium fire of his de Tomaso. But new talent emerged in the same race, Clay Regazzoni in a Ferrari and Francois Cevert in Ken Tyrrell's March. And Lotus child prodigy Emerson Fittipaldi scored his first grand prix win at Watkins Glen.

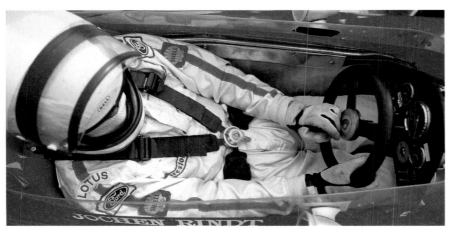

Hockenheim (D), J. Rindt

Monaco, G. Hill

Monaco, J. Brabham

Monza (I), J. Ickx (2), P. Rodriguez (10) ▶

▼ Jarama (E), B. McLaren

In 1970 beleeft de Formule 1, de fascinerendste maar ook gekste sporttak, de grootste absurditeit uit haar bestaan: een dode wereldkampioen. Tijdens de training in Monza overlijdt Jochen Rindt. De voorsprong van de Oostenrijker is echter al zo groot dat hij niet meer ingehaald kan worden. In Monaco won hij met een Lotus 49C, in Zandvoort, Clermont Ferrand, Brands Hatch en Hockenheim met de wigvormige opvolger, een Lotus 72. Nog twee andere bekende coureurs komen om het leven: Bruce McLaren in Goodwood tijdens het testen van een CanAm-auto, en in Zandvoort Piers Courage die in zijn Tomaso verbrandt. Maar tijdens die race weten ook nieuwe talenten de aandacht op zich te vestigen, zoals Clay Regazzoni in een Ferrari en Francois Cevert in Ken Tyrrells March. Het wonderkind van Lotus, Emerson Fittipaldi, wint in Watkins Glen zijn eerste Grand Prix.

Zandvoort (NL), J. Stewart

Monaco, J. Stewart

Monaco, J. Ickx

▼ Jarama (E), J. Rindt

GP

In 1971 there was no holding back the joint venture of Jackie Stewart and Ken Tyrrell with cars bearing the former timber merchant's own name since the preceding year's Canadian Grand Prix. In Jarama the Scot presented the new marque with its first win and in the end, after five more victories, provided himself with his second world championship and his employer with his only constructor's title. Lotus had been the team to beat in both fields in 1970, but failed to score a single victory for the first time since 1960. Again the sport lost two of its heroes, albeit in other theatres of war. Mexican Pedro Rodriguez was killed in a sports-car event in Nuremberg, whereas Swiss Jo Siffert died at Brands Hatch during a Formula 1 race that was not part of the grand prix calendar. At Monza, BRM employee Peter Gethin drove the fastest grand prix so far in a BRM, in a spectacular slipstream battle.

Zandvoort (NL), G. Hill

Zandvoort (NL), D. Hulme

▼ Zandvoort (NL), J. Stewart

Het seizoen 1971 wordt beheerst door de joint venture van Jackie Stewart en Ken Tyrell. Ze rijden sinds de Grand Prix van Canada beide met een wagen die de voormalige houthandelaar Tyrell een jaar eerder had ontworpen. In Jarama haalt de Schot de eerste overwinning voor het nieuwe merk. Vijf zeges later wordt hij zelf voor de tweede keer kampioen en bezorgt hij zijn werkgever de constructeurstitel. Lotus, dat in 1970 nog beide titels in de wacht sleepte, staat nu met lege handen. En alweer verliest de sport twee van zijn helden, hoewel deze keer niet tijdens een Grand Prix: de Mexicaan Pedro Rodriguez overlijdt bij een sportwagenrace in Neurenberg, de Zwitser Jo Siffert in Brands Hatch tijdens een officieuze Formule 1-race. In Monza rijdt Peter Gethin in een BRM de tot dan toe snelste Grand Prix .

71

Zandvoort (NL), F. Cevert

Zandvoort (NL), C. Regazzoni

Nürburgring (D), E. Fittipaldi

▼ Le Castellet (F), R. Peterson

GP

After the Lotus drought in 1971, Emerson Fittipaldi carried on where he had left off with his first place in the preceding year's United States Grand Prix. His victory at Monza, his fifth in 1972, made him the youngest ever world champion at the tender age of 25. Not only was his Lotus 72D run in the black and gold livery of its sponsor John Player Special, but it was also called JPS. Colin Chapman had notched up yet another first, giving his cars the name of the product they promoted. But fortunately the racing fraternity saw not only black and gold in that season but, for example, also white and red, or red. On a bleak and rainy Sunday, the little Frenchman Jean-Pierre Beltoise, in an immaculate performance, scored his only win at Monaco in the Marlboro BRM. And at the Nürburgring the Scuderia Ferrari secured a majestic one-two with Jacky Ickx and Clay Regazzoni in their 312B2s.

Nürburgring (D), E. Fittipaldi

Monaco, N. Lauda ▼ Monaco, C. Regazzoni ▼ Monaco, H. Ganley

Na 1971, een voor Lotus onfortuinlijk jaar, knoopt Emerson Fittipaldi weer aan bij zijn succes van het jaar ervoor, de Grand Prix van de VS. Met zijn overwinning in Monza, zijn vijfde in 1972, wordt hij op 25-jarige leeftijd de jongste wereldkampioen in de geschiedenis. Zijn Lotus 72D is gelakt in het zwart-goud van de sponsor John Player Special en draagt bovendien diens naam. Alweer was Colin Chaplin alle anderen een stapje voor door zijn auto's de naam te geven van de sponsor. Gelukkig is er in het seizoen meer onder de zon dan alleen zwart-goud. Bijvoorbeeld ook wit-rood en rood. Op een sombere regenachtige dag wint de kleine Fransman Jean-Pierre Beltoise na een vlekkeloze rit de Grand Prix van Monaco in een Marlboro-BRM. En op de Nürburgring behaalt de Scuderia Ferrari een mooie dubbele overwinning met Jacky Ickx en Clay Regazzoni.

Nürburgring (D), J. Ickx in the lead ahead of R. Peterson and C. Regazzoni

Monza (I), J. Ickx

Zeltweg (A), winner E. Fittipaldi

▼ Monza (I), J. Stewart   ▼ Nürburgring (D), J. Stewart

Races

GP

Following an alternating rhythm of 1969, '71 and '73, Jackie Stewart grabbed his third title. His success was, however, soured by the brutal death of his team-mate and heir-apparent in the Tyrrell team, François Cevert, in a practice accident at Watkins Glen. Stewart's Nürburgring victory was his 27th and also his last. Even at his farewell press conference in the London Carlton Towers Hotel in the autumn of that year, the Scot and his boss could only speak in voices choked with tears. In a fiery crash at Zandvoort, March driver Roger Williamson also lost his life. Others were lucky: In Kyalami, Mike Hailwood saved Clay Regazzoni's life pulling the Swiss from his burning BRM and was later awarded the George Medal for valour. In a multiple collision at the end of the first lap at Silverstone, wild McLaren youngster Jody Scheckter eradicated nine racing cars but, fortunately, no human lives.

Monaco, J. Stewart

Monaco, C. Reutemann

▼ Anderstorp (S), Jacky Ickx (3), M. Beuttler (15)

Met een tussenpoos van steeds één jaar wordt Jackie Stewart na 1969 en 1971 in 1973 voor de derde keer wereldkampioen. Maar het succes wordt hem verzuurd door de wrede dood van zijn ploeggenoot en zijn gedoodverfde opvolger bij Tyrrell, Francois Cevert in Watkins Glen. Stewarts overwinning op de Nürburgring is zijn 27e, maar tevens laatste. Bij zijn afscheid in het Londense hotel Carlton Towers kunnen de Schot en zijn baas de tranen maar amper tegenhouden. Ook March-coureur Roger Williamson komt in een vuurcrash in Zandvoort om het leven. Andere ongelukken lopen vrij goed af. In Kyalami kan Mike Hailwood Clay Regazzoni net op tijd uit de brandende BRM halen. En na een kettingbotsing in Silverstone heeft de onstuimige McLaren-youngster Jody Scheckter negen autowrakken op zijn geweten, maar gelukkig geen mensenlevens.

Silverstone (GB), F. Cevert

Le Castellet (F), J. Scheckter, D. Hulme (7)

GP

After years of limping along, the Maranello cavallino began to prance again in 1974. Clay Regazzoni returned to the red faction, Niki Lauda joined it for the first time, both former employees of BRM which was about to vanish into the ether. Enzo Ferrari had recruited 25-year-old nobleman and lawyer Luca di Montezemolo as team manager. Lauda led in 338 of 979 laps of the 15 races in total and left Dijon in July as leader in the standings, slightly ahead of Regazzoni and McLaren star driver Emerson Fittipaldi. But before the finale at Watkins Glen his lead had melted away, while the other two went into the race with equal chances. But then Lady Luck interfered, damper failures sidelining the Ferraris, fourth position and title for the Brazilian. Formula 1 lost four of its drivers. Peter Revson and Helmut Koinigg died in their cars, whereas Denny Hulme and Mike Hailwood were pensioned off.

Monza (I), E. Fittipaldi

Jarama (E), E. Fittipaldi

Jarama (E), C. Regazzoni

▼ Anderstorp (S), E. Fittipaldi

Na jaren van tegenslagen voor Ferrari begint het cavallino in 1974weer te trippelen. Clay Regazzoni keert terug naar de rode renstal, Niki Lauda maakt er zijn debuut. Beide komen van BRM, het team dat langzaam in de vergetelheid zou raken. Als sport-directeur wordt de jurist en notabele Luca di Montezemolo, net 25 jaar oud, aangetrokken. In de vijftien wedstrijden rijdt Lauda met zijn Tipo 312B3 in 338 van 979 ronden op kop en na Dijon

is hij ook nummer een in het klassement, vóór Regazzoni en McLaren-ster Emerson Fittipaldi. Voor de finale in Watkins Glen is zijn voorsprong alweer flink gekrompen. Het toeval is Lauda niet goedgezind: gebreken aan de schokbrekers en de vierde plaats en de titel voor de Braziliaan. De Formule 1 verliest vier coureurs: Peter Revson en Helmut Koinigg verongelukken tijdens de race en Denny Hulme en Mike Hailwood gaan met pensioen.

74

Dijon (F), winner R. Peterson, ahead of N. Lauda (right) and C. Regazzoni

Dijon (F), R. Peterson

▼ Nürburgring (D), J. Hunt

Anderstorp (S), J. Scheckter

▼ Anderstorp (S), N. Lauda

GP

A review of the 1975 season inevitably turns into a eulogy to Niki Lauda. It was the Viennese who ended the hegemony of the eight-cylinder cars in the first nine years of the three-litre formula, became the first Ferrari champion in eleven years and the first Ferrari driver to win at Monaco for 20 years. His ideally matched tool was the 312 T, so called because its gearbox was transversely mounted behind the engine. In Brazil, though, there was a double victory for non-Ferrari driving Brazilians – Carlos Pace in a Brabham ahead of Emerson Fittipaldi in a McLaren. Pace was to die in a plane crash in 1977, whereas Graham Hill, who drove his 176th and very last grand prix at Interlagos, would suffer the same end on 29 November 1975 in a cruel twist of fate. At Zeltweg, Mark Donohue was killed, whilst Vittorio Brambilla emerged victorious, hammering into the Armco after passing the chequered flag.

Een terugblik op het seizoen 1975 is welhaast automatisch een lofzang op Lauda. De man uit Wenen breekt de macht van de achtcilinders die negen jaar lang de 3-liter-klasse hadden beheerst. Voor Ferrari betekent dit voor het eerst sinds elf jaar weer een wereldtitel en sinds twintig jaar een zege in Monaco. Lauda's congeniale machine is een 312T, zo genoemd omdat de versnellingsbak overdwars achterin zit. In Brazilië oogsten twee Brazilianen een overwinning: Carlos Pace in een Brabham voor Emerson Fittipaldi in een McLaren. Pace stort in 1977 met een vliegtuig neer. Hetzelfde zinloze lot ondergaat de oude Formule 1-ster Graham Hill op 29 november 1975. Hij reed in Interlagos zijn 176e en laatste Grand Prix. In Zeltweg overlijdt Mark Donohue, terwijl winnaar Vittorio Brambilla na de finish juichend de vangrail in raast.

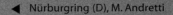
◀ Nürburgring (D), M. Andretti

Nürburgring (D), V. Brambilla

Nürburgring (D), J. Scheckter

Nürburgring (D), E. Fittipaldi

Nürburgring (D), C. Reutemann

GP

The 1976 world champion was, of course, James Hunt driving a McLaren M23. But the name of the real hero in the drama of fire and Ferrari red into which the season turned, was Niki Lauda. In the first eight races he accumulated five victories, two seconds and one third. On 1 August, however, courageous colleagues pulled him from the blazing remains of his car in the Bergwerk section of the Nürburgring. There was no way he could survive this inferno. Only six weeks later, at Monza, scarred for life but unbroken, he was behind the wheel again – and point by point lost his lead to Hunt. In the last race at Fuji in October things could have gone either way: Hunt or Lauda. It was raining cats and dogs and on lap two Lauda retired. The Japanese Grand Prix was won by Mario Andretti in the Lotus. For the long-haired Briton his third place and one more point in the final standings sufficed. But Lauda became a legend.

Brands Hatch (GB), N. Lauda

Brands Hatch (GB), J. Hunt

Zeker: James Hunt is in 1976 met een McLaren M23 de nieuwe wereldkampioen. Maar de ware hoofdrolspeler in een onvergetelijk inferno heet Niki Lauda. In de eerste acht races oogst hij vijf zeges, twee tweede plaatsen en een derde. Maar op 1 augustus moeten een paar onverschrokken collega's hem op de Nürburgring uit zijn brandende wagen trekken. De toeschouwers vrezen voor zijn leven, maar al in Monza zit hij, weliswaar voor altijd getekend maar niet gebroken, alweer achter het stuur. Vanaf hier raakt hij zijn voorsprong punt voor punt aan Hunt kwijt. Hij of Lauda, dat is de vraag voor de finale nabij de Mount Fuji in oktober. Het stortregent en in de tweede ronde geeft Lauda op. Mario Andretti wint in een Lotus. Hunt heeft voldoende aan zijn derde plaats en heeft een punt voorsprong in het eindklassement. Die andere coureur – Lauda – zal een legende worden.

Nürburgring (D), N. Lauda

Nürburgring (D), J. Hunt

Nürburgring (D), 2nd start, J. Hunt (11) ahead of P. Depailler (4) and C. Regazzoni (2)

GP

Lauda's second championship in 1977 sprang from the poisonous ground of a rapidly worsening atmosphere in the Ferrari camp. Three wins in Kyalami, Hockenheim and Zandvoort were enough, backed up by six second places. One of those, at Monza, set the scene, his fourth at Watkins Glen on 2 October sealed it. Ironically, the commendatore had fired him as early as 29 August. At that moment, the wind of change was already blowing. By mid-season, at Anderstorp, it seemed to be Mario Andretti who was heading for the title. But Colin Chapman's superb wing car Lotus 78 suffered problems with its engine – precisely the forte of the Ferrari 312 T2. Formula 1 lost Tom Pryce and Carlos Pace, but also celebrated three first victories for Wolf (with Jody Scheckter) in Buenos Aires, Ligier (with Jacques Laffite) in Anderstorp and Shadow (with Alan Jones) at Zeltweg.

Long Beach (USAW), J. Scheckter (20), followed by N. Lauda (covered), M. Andretti (5) and C. Reutemann (12)

Long Beach (USA), P. Depailler

Long Beach (USA), M. Andretti

▼ Hockenheim (D), N. Lauda

Lauda haalt zijn tweede titel in 1977 als het klimaat bij Ferrari steeds slechter wordt. De drie eerste plaatsen, in Kyalami, Hockenheim en Zandvoort, zijn na zes tweede plaatsen voldoende. De tweede plaats in Monza was richtinggevend, de vierde in Watkins Glen maakt uiteindelijk het verschil. Op dat moment heeft de commendatore Lauda reeds ontslagen. Maar een nieuwe toekomst is al begonnen. In het midden van het seizoen, in Anderstorp, lijkt Mario Andretti als kampioen vast te staan. Maar Colin Chapmans geniale vleugelauto Lotus 78 heeft defecten aan de motor – het terrein waarop de Ferrari 312 T2 juist het sterkst is. De Formule 1 beklaagt de dood van Tom Pryce en Carlos Pace en viert drie eerste overwinningen: voor Wolf met Jody Scheckter in Buenos Aires, voor Ligier met Jacques Laffite in Anderstorp en voor Shadow met Alan Jones in Zeltweg.

Dijon (F), start M. Andretti (already half out the picture) leading G. Nilsson (&), J. Watson (7) and J. Laffite (26)

Jarama (E), C. Reutemann

Dijon (F), J. Mass

GP

In 1978 Lotus interfered with the Ferrari dominance of the seventies, technical sophistication scoring a victory over rugged strength and reliability. Colin Chapman's wing car Lotus 78, from Zolder onwards the Lotus 79, was a work of wonder – a racing car that sucked itself to the tarmac due to the wing profile of its bottom. Mario Andretti took advantage of that, adding the Formula 1 world title to his manifold merits on the American racing scene. But as in 1961 in the case of his compatriot Phil Hill, his success had to be paid for dearly with the death of his team-mate, Ronnie Peterson dying in the aftermath of a terrible accident at Monza. However, the tragedy which befell the popular Swede had one positive result: From that year's Italian Grand Prix onwards, a medical car has followed the field through the first lap, carrying the FIA's excellent medical representative, Professor Sid Watkins.

Le Castellet (F), N. Lauda ahead of R. Peterson and J. Hunt ▼ Jarama (E), R. Peterson

Zeltweg (A), R. Peterson in the lead followed by C. Reutemann and M. Andretti

▼ Monaco, C. Reutemann   ▼ J. Laffite   ▼ P. Depailler   ▼ J. Watson   Monaco, M. Andretti ▶

In 1978 slaagt Lotus erin de dominantie van Ferrari in de jaren 70 te breken. Het is een zege van technische finesse over kracht en betrouwbaarheid. Colin Chapmans Wing Car Lotus 78, na Zolder Lotus 79, is een wonderbaarlijke auto. Door het vleugelprofiel van de onderkant zuigt de wagen zich als het ware vast aan het wegdek. Mario Andretti kan een Formule 1-titel toevoegen aan zijn talrijke successen in de Amerikaanse racewereld. Net zoals in 1961 bij zijn landgenoot Phil Hill heeft die titel een dure prijs – het verlies van een teamgenoot. Ronnie Peterson overlijdt aan de gevolgen van een zwaar ongeluk in Monza. De dood van de populaire Zweed leidt tot een nieuwe en verstandige regel: vanaf de Grand Prix van Italië wordt het veld in de eerste ronde altijd gevolgd door een auto met de buitengewoon kundige arts professor Sid Watkins.

78

GP

In 1979, the Red Empire struck back, using the 312 T4 as an apt weapon. It was, as Enzo Ferrari put it, the ugliest racing car ever to emerge from his workshops. Indeed it was an excess of right angles, boxes, edges and steep inclines wherever you looked. The driver sat well forward, while the T4's nose bulged out of its flat front lid like a livid mollusc. Nor did the skirts help in producing an aesthetic impact, whereas smooth surfaces betrayed the wing car – though basically not compatible with the wide twelve-cylinder unit. But the ugly exterior hid a winner, despite the fact that the Williams FW07 hugged the ground more efficiently and the Renault RS10 was the fastest car around. Champion, the last one in a Ferrari for a long time, was the gruff South African Jody Scheckter, while his lieutenant and runner up, the fearless Franco-Canadian Gilles Villeneuve, looked after the sensational.

Zeltweg (A), G. Villeneuve ahead of A. Jones and N. Lauda

Zeltweg (A), winner A. Jones, ahead of G. Villeneuve (left), and J. Laffite

Zeltweg (A), J. Laffite   ▼ Monaco, J. Lammers

Zeltweg (A), A. Jones   ▼ Monaco, G. Villeneuve

In 1979 slaat het rode imperium terug, met de Tipo 312T4. Volgens Enzo Ferrari is het de lelijkste racewagen die ooit zijn staldeuren heeft verlaten. De auto is een en al rechte hoeken, kanten en steile lijnen. De coureur zit helemaal voorin en de neus steekt als een plat front agressief naar voren. Onesthetisch zijn ook de spoilers, terwijl het gestroomlijnde oppervlak karakteristiek is voor de Wing Car. Dat alles is eigenlijk onverenigbaar met de buiten-gewoon brede V12-krachtbron. Onder het gevaarlijk ogende uiterlijk gaat echter een winnaar schuil, hoewel de Williams FW07 zich beter aan de grond zuigt en de Renault RS10 alle snelheids-records breekt. De knorrige Zuid-Afrikaan Jody Scheckter wordt kampioen – voorlopig de laatste in een Ferrari, terwijl zijn luite-nant en rijzende ster, de onbevreesde kleine Frans-Canadees Gilles Villeneuve, steeds weer voor sensatie zorgt.

79

Monaco, J. Scheckter ahead of G. Villeneuve

Monaco, R. Arnoux ahead of J.-P. Jabouille ▼ Monaco, N. Lauda

Monaco, J. Watson ▼ Monza (I), J. Watson

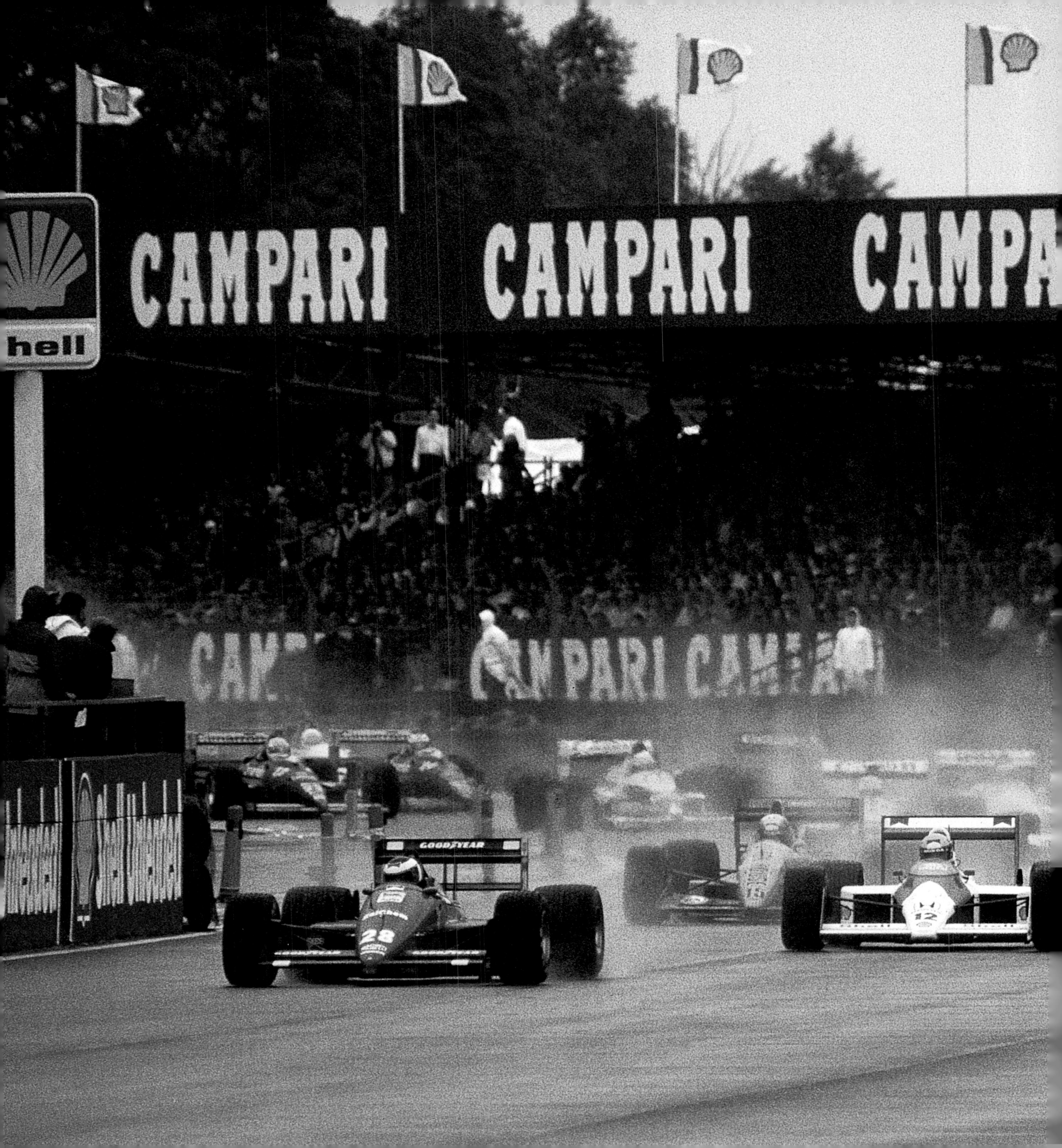
CAMPARI CAMPARI CAMPA
hell
CAMPARI CAMPARI
GOODYEAR
28

GP

All of a sudden, one was reminded of 1962: Ferrari had swept the board in 1979 and were also-rans in 1980. There were no victories at all for Jody Scheckter, who had cooled off in the course of his career, or his daredevil comrade Gilles Villeneuve at the wheel of the 312 T5. After the season, the woolly-haired South African called it a day and hung up his white and yellow crash helmet for good. Farewell and welcome: The year was also full of firsts and events foreshadowing the future. Alain Prost drove his first race at Buenos Aires in a McLaren, as did Nigel Mansell in Austria driving a Lotus. Nelson Piquet won his first grand prix at Long Beach and Alan Jones became champion, while his wheeler-dealer boss Frank Williams grabbed his first constructors' title. And as Monza was being updated, Imola hosted the Gran Premio d'Italia instead.

Long Beach (USAW), N. Piquet (5) in the lead followed by R. Arnoux (16) and P. Depailler (22)

Zandvoort (NL), A. Prost

▼ Long Beach (USAW), J. Scheckter

Zolder (B), C. Reutemann

▼ Jarama (E), D. Pironi

Races

Plotseling is alles weer zoals in 1962: het jaar ervoor nog de dominerende renstal, in 1980 de grote verliezer. De Ferrari's van de coole Jody Scheckter en zijn roekeloze compagnon Gilles Villeneuve weten met hun 312 T5 geen enkele zege te behalen. Aan het einde van het seizoen geeft de Zuid-Afrikaanse krullenbol er de brui aan en zet zijn helm voorgoed in de kast. Afscheid en welkom: het jaar is vol van premières en toekomstige rich-

tingen. Alain Prost wint zijn eerste race in Buenos Aires met een McLaren en Nigel Mansell de Grand Prix van Oostenrijk met een Lotus. In Long Beach wint Nelson Piquet zijn eerste Grand Prix en wordt Williams-coureur Alan Jones wereldkampioen; voor zijn bedrijvige baas de eerste constructeurstitel. Vanwege de renovatie van Monza wordt de Grand Prix van Italië naar Imola verhuisd.

Long Beach (USAW), A. Jones

Zandvoort (NL), A. Jones' Williams after a crash during training

Long Beach (USAW), J. Laffite ▼ Jarama (E), winner A. Jones, ahead of Mass (left) and de Angelis

Jarama (E), J. Laffite's Ligier after a collision with C. Reutmann

GP

Making a habit of it, Williams secured the constructors' championship for the second time running in 1981. In terms of the drivers' crown there was a merry-go-round as Brabham ace Nelson Piquet, runner-up in 1980, only needed his three wins in Buenos Aires, Imola and Hockenheim to secure the title. But at the finale in Las Vegas, on the car-park-turned-race-track of the Caesar's Palace Hotel, Williams employee Carlos Reutemann was still breathing down his neck, the enigmatic Argentinian leading his team-mate Alan Jones by three points in the final standings. However, it was Gilles Villeneuve who provided the fireworks despite, rather than in league with, the restive Ferrari turbo monster 126 CK. The Franco-Canadian's spectacular victories at Monaco and Jarama made his number 27 legendary.

Long Beach (USAW), G. Villeneuve

Long Beach (USAW), J. Laffite

Long Beach (USAW), N. Piquet

Williams zet het goede werk van het jaar ervoor voort en wordt in 1981 wederom wereldkampioen van de constructeurs. Bij het touwtrekken tussen de coureurs ontstaat een wanordelijke situatie: voor Brabhams topcoureur Nelson Piquet, in 1980 slechts tweede, zijn overwinningen in Buenos Aires, Imola en Hockenheim voldoende om wereldkampioen te worden. Tijdens de laatste race in de tot een raceparcours omgebouwde parkeerplaats van het Hotel Caesars Palace in Las Vegas moet hij Williams-piloot Carlos Reutemann van het lijf houden. Deze op zijn beurt weet zijn teamgenoot Alan Jones met drie punten voorsprong in het eindklassement voor te blijven. Voor schitterend vuurwerk zorgt Gilles Villeneuve. Meer tegen het koppige turbomonster Ferrari 126CK dan met hem wint hij op spectaculaire wijze in Monaco en Jarama en maakt startnummer 27 tot een legende.

81

Long Beach (USAW), 2nd place N. Piquet

Monaco, E. de Angelis

Zeltweg (A), B. Giacomelli

Hockenheim (D), A. Prost (15) ahead of C. Reutemann (2), R. Arnoux (16) and A. Jones (1)

GP

At Imola, the noisy and vociferous war waged between racing's governing body the FISA and the FOCA, the constructors' trade union, about a rule infringement escalated to an absurd level: Only the FISA-loyal teams appeared, 14 cars altogether. Ferrari driver Didier Pironi won the race, but in so doing violated an agreement with his team-mate Gilles Villeneuve to create mock equality in a photo finish or even let the Franco-Canadian go first if he were leading anyway. Villeneuve grumbled. But two weeks later during a banzai qualification lap at Zolder he somersaulted into disaster and Formula 1 had lost its greatest and most popular hero. Pironi, still second in the final standings, would never drive again after a terrible rain accident in Hockenheim. Keke Rosberg in the Williams grabbed the title with only the victory in the Swiss round at Dijon under his belt.

Long Beach (USAW), G. Villeneuve

Zolder (B), G. Villeneuve's Ferrari

Brands Hatch (GB), K. Rosberg　　　▼ Zandvoort (NL), R. Arnoux　　　▼ Zandvoort (NL), R. Arnoux

Races

Een knallende ruzie tussen de racewetgever FISA en de constructeursvakbond FOCA over een spitsvondige regelinterpretatie eindigt in Imola in een absurde situatie: alleen FISA-getrouwen staan aan de start, in totaal veertien wagens. Ferrari-coureur Didier Pironi wint en slaat een afspraak met zijn teamgenoot Gilles Villeneuve in de wind. De Frans-Canadees wilde een fotofinish met een kunstmatig gelijk spel of in elk ander geval voorrang.

Villeneuve is woedend. Twee weken later tijdens een kwalificatieronde op Zolder slaat hij over de kop en komt om het leven: de Formule 1 heeft zijn grootste en meest sympathieke ster verloren. Pironi, nog steeds tweede in het klassement, stapt na een ongeval in de regen van Hockenheim nooit weer in een raceauto. Uiteindelijk wordt Keke Rosberg in Williams wereldkampioen, met slechts één overwinning, in Dijon.

Brands Hatch (GB)

Brands Hatch (GB)

Brands Hatch (GB)

▼ Brands Hatch (GB), D. Pironi   Brands Hatch (GB), winner N. Lauda, ahead of Pironi (left) and Tambay   ▼ Dijon (CH), J. Watson

GP

After the crises and dramas at the beginning of the decade, calm returned in 1983. At the same time, the season arched as a watershed between the past and the future. With victory number 155, in the rear of Michele Alboreto's Tyrrell at Detroit, a scion of the noble Ford DFV dynasty took its leave from the winner's circle for good. The turbos would have the say for some time to come. Two new opponents joined the fray, Honda in Stefan Johansson's Spirit at the British Grand Prix and Porsche in Niki Lauda's McLaren at its Dutch counterpart. As in 1982, Ferrari secured the constructors' title, but the field was dominated by the slimline Brabhams and their strong and sturdy BMW four-cylinder engines which propelled Nelson Piquet on his way to his second championship. And everybody in the grand prix circus was delighted when the Belgian round returned to its spiritual home at Spa.

Monaco, P. Tambay

Monaco, A. Prost   ▼ Silverstone (GB), R. Arnoux (28) ahead of P. Tambay (27) and A. Prost (15)

▼ Zandvoort (NL), K. Rosberg   ▼ Long Beach (USAW), J. Watson

Races

Na de crises en drama's aan het begin van het decennium keert de rust in 1983 terug. Tegelijkertijd welft het seizoen zich als waterscheiding tussen verleden en toekomst. Met nummer 155 op de achterkant van Michele Alboreto's Tyrrell neemt een nazaat van de Ford-DFV-dynastie uit Detroit afscheid van de selecte kring van winnaars. De turbo's hebben het nu voor het zeggen. Meteen twee nieuwe tegenspelers verschijnen op het toneel: Honda bij de Grand Prix van Engeland in de Spirit van Stefan Johansson en Porsche in de McLaren van Niki Lauda bij de Grand Prix van Nederland. Ook al haalt Ferrari net zoals in 1982 de constructeurstitel, het veld wordt wederom beheerst door de ranke Brabham met zijn ruwe viercilinders van BMW, die ook Nelson Piquet in 1983 naar het wereldkampioenschap stuwen. Tot algemeen genoegen vindt de Grand Prix van België weer plaats in Spa.

Zandvoort (NL), N. Lauda

Monaco, R. Arnoux (28), A. de Ceasris (22)

Hockenheim (D)

▼ Zeltweg (A), N. Piquet

GP

To be eligible for the 1984 crown you needed the McLaren MP4/2 chassis, with John Barnard's diamond-hard carbon fibre monocoque as backbone, and the turbo power plant TAG (a.k.a. Porsche) V6. The unlikely driver pairing of Niki Lauda and Alain Prost had the equipment at their disposal. So it was these two who fought it out. The matter was, however, decided by a third man – Jacky Ickx, although he had been a Formula 1 pensioner since 1980.

In blinding rain, the Belgian, Clerk of Course at Monaco, halted the race shortly before half-time for safety reasons. Prost, the winner, only got 4 ½ points, the Austrian grabbing the title just a ½ point ahead. Toleman driver Ayrton Senna, the new star born in the wetland of that day, had been threatening from behind. Had Prost left the Principality with a full ration of six points for second place, the championship would have been his.

Monaco, A. Prost ahead of N. Mansell

▼ Imola (RSM), N. Lauda

▼ Dijon (F), N. Piquet, D. Warwick, A. Prost and M. Alboreto

Races

Voor de wereldtitel van 1984 is een chassis nodig van McLaren, een MP4/2. Het kernstuk ervan is een door John Barnard ontwikkelde keiharde monocoque van koolstofvezel en een V6-turbomotor van TAG (alias Porsche). Dat is de uitrusting van de onderling zo verschillende teamgenoten Niki Lauda en Alain Prost, die het kampioenschap uiteindelijk beslissen. De doorslag geeft echter de terugkeer van Jacky Ickx, Formule 1-rentenier sinds 1980. Als wedstrijdleider in Monaco maakt hij halverwege de race een eind aan het waterballet: safety first. De winnaar, Prost, krijgt slechts 4,5 punten en heeft aan het einde van het seizoen een half puntje minder dan Niki Lauda. Ver van achteren komt een nieuwe ster naar voren: Ayrton Senna met een Toleman. Zou Prost tweede zijn geworden in een complete race, dan had hij aan zes punten genoeg gehad om met een neuslengte voorsprong de titel te winnen.

Zandvoort (NL), A. Senna

Zolder (B), E. de Angelis

Monza (I), G. Berger ▼ Dijon (F), N. Mansell ahead of A. Prost

Estoril (P) ▼ Estoril (P), N. Lauda and A. Prost

Races

GP

During the 1984 finale at Estoril, Niki Lauda had consoled Alain Prost that it would be his turn next year. Indeed, after the season, as the Viennese put an end to the Lauda era to focus his efforts henceforth on Lauda Air, the jockey-sized Frenchman had already clinched his first title, ably supported by his McLaren MP4/2B-TAG V6. Initially, he had found a formidable adversary in the shape of Michele Alboreto and his Ferrari 156/85. After the Austrian Grand Prix at Zeltweg in mid-August, the two opponents left the majestic course, in the shadow of Spielberg Castle, tied at 50 points each. In Holland, two weeks later, Alboreto finished fourth and Prost came in second. From that point onwards, the Frenchman had the Italian firmly in hand, and his championship was assured by his fourth place in the Grand Prix of Europe at Brands Hatch on 6 October – with two races to go.

Estoril (P), N. Lauda

Estoril (P), A. Senna

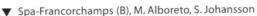

▼ Spa-Francorchamps (B), M. Alboreto, S. Johansson

'Volgend jaar', aldus Niki Lauda tegenover Alain Prost tijdens de finale in 1984 in Estoril, 'ben jij aan de beurt'. En inderdaad: nadat de Weense coureur na afloop van het seizoen de era Lauda afsluit om zich voortaan op zijn Lauda Air te storten, haalt de Fransman met het postuur van een jockey in een McLaren MP4/2B-TAG V6 zijn eerste titel. Aanvankelijk heeft hij in Michele Alboreto in de Ferrari 156/85 een formidabele tegenstander. Na een taai gevecht in Zeltweg medio augustus staat het gelijk en verlaten de coureurs het majestueuze parcours nabij het kasteel Spielberg beide met 50 punten op zak. In Nederland wordt Alboreto veertien dagen later slechts vierde, Prost tweede. Vanaf dat moment heeft Prost de Italiaan volledig onder controle. Na een vierde plaats op Brands Hatch begin oktober 1985 – twee races voor het einde van het seizoen – kan hem de titel niet meer ontgaan.

Monaco, P. Tambay

Zandvoort (NL), N. Piquet

▼ Spa-Francorchamps (B), A. Prost

GP

The course of the 1986 season saw the same sort of highly-charged three-way competition that had caused so much frustration (for the duped) and pleasure (for the beneficiary) in 1973: Two strong drivers in one team rob each other of points, whereas the tertius gaudens grabs the title. In 1973, it had been Jackie Stewart in the Tyrrell who took advantage of the rivalry between Lotus teammates Emerson Fittipaldi and Ronnie Peterson. This time, McLaren employee Alain Prost surprised the perennially quarrelsome Williams duo, Nigel Mansell and Nelson Piquet, to bask in the sun of two consecutive championships for the first time since Jack Brabham. The other two accumulated nine victories together and secured the constructors' championship for Frank Williams, who had emerged paralysed from a serious road accident. Prost, however, needed only four wins.

Budapest (HU), N. Piquet

Monaco, N. Piquet

Monaco, N. Mansell

▼ Zeltweg (A), N. Mansell

Budapest (HU), A. Prost

▼ Monaco, J. Laffite

In de loop van dit seizoen ontstaat eenzelfde emotionele driehoeksverhouding die al in 1973 ergernis (bij de slachtoffers) en plezier (bij de begunstigden) veroorzaakte: twee teamgenoten pakken elkaar de punten af, terwijl een lachende derde er met de titel tussenuit knijpt. Destijds was het Jackie Stewart in een Tyrrell, die uit de twist tussen de Lotus-sterren Emerson Fittipaldi en Ronnie Peterson munt sloeg. Dit keer overrompelt

McLaren-piloot Alain Prost het Williams-duo Nigel Mansell en Nelson Piquet, die elkaar niet uit kunnen staan, en is de eerste sinds Jack Brabham met twee titels in successie. Mansell en Piquet halen negen overwinningen, genoeg voor weer een constructeurstitel van Frank Williams, die tengevolge van een ongeluk in dat jaar aan een dwarslaesie lijdt. Prost haalt vier zeges, genoeg voor de titel.

▼ Monaco, G. Berger

▼ Monaco, A. Senna

GP

In the penultimate year of the turbo era, a Honda V6 was an indispensable tool for would-be champions. The nominees were the hostile Williams brothers Nelson Piquet and Nigel Mansell, as well as up-and-coming Ayrton Senna in the yellow Lotus 99T. Each of them alone, and all together, relegated twice world champion Alain Prost and his McLaren MP4/3 to the sidelines in the fourth and final year of the McLaren International and TAG-Porsche alliance. The title fell to Piquet although the Brazilian was occasionally humiliated by his robust team-mate, for instance in their legendary Silverstone duel. Still, the Frenchman managed three wins at Rio, Spa and Estoril and, with his 28th victory in Portugal, had the satisfaction of topping Jackie Stewart's total which had been the benchmark so far. Jonathan Palmer in the Tyrrell won the Jim Clark Cup for cars with normally aspirated engines.

Budapest (HU), N. Mansell

Spa-Francorchamps (B), A. Senna

▼ Zeltweg (A), A. Prost

In het voorlaatste jaar van de turbomotor is een V6 van Honda een van de titelkandidaten. Hij zit in de auto's van de Williams-coureurs Nelson Piquet en Nigel Mansell die bijna als vijanden tegenover elkaar staan én in de postgele Lotus 99T van de snel rijzende ster Ayrton Senna. Ieder voor zich maar ook samen verdringen ze de tweevoudige kampioen Alain Prost en zijn McLaren MP4/3, in het vierde en laatste jaar van de liaison met Porsche, naar de kruipstrook. Over de titel ontfermt Piquet zich, hoewel hij af en toe, zoals op Silverstone, vreselijk wordt vernederd door zijn bruuske teamgenoot. Voor Prost blijven altijd nog drie overwinningen over, in Rio, Spa en Estoril, en de genoegdoening in Portugal met zijn 28e Grand Prix-zege recordhouder Jackie Stewart te hebben ingehaald. Jonathan Palmer in Tyrrell wint de voor zuigermotoren uitgereikte Jim Clark Cup.

Zeltweg (A), N. Piquet

Zeltweg (A), 2nd start, G. Berger ahead of T. Boutsen

Zeltweg (A)   ▼ Zeltweg (A), A. de Cesaris, S. Johansson

GP

1988 was marked by one of those rare and lucky coincidences that the right man sat in the right car and had the right engine at his disposal. The car's name was McLaren MP4/4, the man's name Ayrton Senna, and he brought along the premium power plant, a Honda V6 turbo, as a dowry, as it were. During his time with Lotus the Japanese had recognised his genius and now wanted to be world champions with him. His team-mate Alain Prost was the right man in the right chassis, too, and had the right engine as well. But the other man was a trifle better and set out at once to prove that. Together they won 15 out of the season's 16 races, the Brazilian eight of them, the Frenchman seven. Even more tell-tale was the pole position score, namely 13:2. At Monza, the tifosi went berserk following a Ferrari one-two, Gerhard Berger leading Michele Alboreto, but only after the McLarens had retired.

Rio de Janeiro (BR), G. Berger

Le Castellet (F), M. Alboreto

▼ Silverstone (GB), A. Senna vor G. Berger

Rio de Janeiro (BR), T. Boutsen

Rio de Janeiro (BR), N. Mansell

▼ Monaco, B. Schneider

82

In 1988 doet zich de zeldzame gelukstreffer voor dat de juiste man in de juiste wagen zit en over de juiste motor beschikt. Die man heet Ayrton Senna, zijn auto is de McLaren MP4/4. De motor, een Honda V6-turbo, brengt hij als het ware als bruidsschat mee. In zijn diensttijd bij Lotus hadden de Japanners zijn geniale talent ontdekt en willen nu wereldkampioen met hem worden. Ook zijn teamgenoot Alain Prost is de juiste man in de juiste wagen met de juiste motor, met dit kleine verschil dat Senna een tikje beter is en staat te popelen om dit te bewijzen. Samen winnen ze in 1988 vijftien van de zestien races, de Braziliaan acht, de Fransman zeven. Opvallend is het verschil bij de eerste startsposities, namelijk 13-2. In Monza juichen de tifosi over een dubbele Ferrari-zege, die van Gerhard Berger voor Michele Alboreto – dankzij het uitvallen van de McLarens.

Rio de Janeiro (BR), A. Prost

Budapest (HU), A. Senna

GP

McLaren boss Ron Dennis likes to say that the runner-up is the first of the losers, epitomising the wild west morality of the grand prix world. And as he employed two superstars, their rivalry would inevitably destroy their relationship and losing would be all the more painful for the man concerned. In 1989, the first year of the normally aspirated 3.5-litre engines, that was Ayrton Senna. At Imola, events came to a head. Alain Prost grumbled that the Brazilian had broken an agreement not to overtake before the first corner in the confusion of the opening lap. When the Formula 1 circus arrived at Suzuka for the penultimate round, the match between the McLaren men stood 6:4 in terms of their victories and 12:4 with regard to poles, advantage Senna. But then he turned physical, rammed Prost on lap 47, took an illegal shortcut and was disqualified. The Frenchman climbed out of his car, aghast, and was champion.

'De tweede is de eerste van de verliezers', zegt McLaren-baas Ron Dennis graag en vat daarmee de Wildwest-moraal van het Grand Prix-circus samen. Met twee supersterren in dienst, bederft hun rivaliteit de onderlinge betrekkingen en maakt verliezen tot een nog pijnlijkere zaak dan normaal. Dit geldt in het eerste jaar van de 3,5-liter-zuigermotoren voor Ayrton Senna. In Imola komt een abrupt einde aan de vriendschap tussen Senna en collega Prost.

De Braziliaan, zo beweert Prost, zou zich niet aan de afspraak hebben gehouden elkaar in de warboel na de start niet vóór de eerste bocht in te halen. Bij de voorlaatste race in Suzuka staat het 6-4 qua Grand Prix-zeges voor Senna en 12-2 qua pole positions. Maar in Suzuka ramt Senna Prost in de 47e ronde, rijdt ook nog eens met een verboden afkorting en wordt gediskwalificeerd. De Fransman stapt fluitend uit zijn auto en is kampioen.

Le Castellet (F)

▼ Le Castellet (F), M. Gugelmin

◄ Spa-Francorchamps (B), A. Senna ahead of A. Prost and G. Berger

▼ Le Castellet (F)

Races

GP

As is generally known, Formula 1 is no hotbed for the fostering of friendships between men, even less so when the people concerned work for the same team, and not at all in the special case of Ayrton Senna and Alain Prost. The Frenchman dodged the pressure arising from that situation by going to Ferrari, as had already been announced at Le Castellet in 1989. Senna was joined at McLaren by a much easier-to-handle team-mate in the shape of Gerhard

Berger. The grudge, however, was deeply rooted. The grand prix circus lived life at the limit for a total of about 25 hours in the 16 races of the 1990 season. But the championship was decided in an act of coldly calculated aggression between the same protagonists as the year before and at the same venue, too. In the very first corner of the Suzuka circuit Senna's McLaren hit Prost's Ferrari. When the dust settled, the Brazilian was champion for the second time.

Le Castellet (F), A. Senna

Le Castellet (F), A. Prost

São Paulo (BR), A. Senna ▶

Le Castellet (F), T. Boutsen

▼ Le Castellet (F), M. Alboreto

Le Castellet (F), J. Alesi

▼ Le Castellet (F), P. Martini

Zoals bekend is voor vriendschappen in de Formule 1 niet veel plaats, vooral niet als de betrokkenen voor hetzelfde team rijden, zoals in het geval Senna-Prost. De Fransman onttrekt zich, zoals in 1989 in Le Castellet al aangekondigd, aan de druk door naar Ferrari over te stappen, terwijl Senna in zijn nieuwe partner Gerhard Berger voortaan een gemakkelijker persoon treft. Niettemin zit de wrok diep. De Grand Prix van 1990, die in totaal uit zestien wedstrijden bestaat en op het scherpst van de snede wordt gereden, is ongeveer 25 uur oud als zich het volgende ijskoude déjà vu afspeelt, met in de hoofdrollen dezelfde protagonisten als het jaar ervoor en op dezelfde plaats. In de eerste bocht van Suzuka boort Senna's McLaren zich knarsend in de Ferrari van Prost. Als de stofwolken zijn opgetrokken, is de Braziliaan de nieuwe kampioen.

Spa-Francorchamps (B), dip at Eau Rouge

Montreal (CDN), A. Prost

Jerez (E), M. Donnelly

▼ Jerez (E), M. Donnelly

▼ Jerez (E), M. Donnelly's Lotus

Hockenheim (D), A. Nannini

Monza (I), G. Berger

▼ Monza (I), A. Caffi

GP

Of course McLaren managed to grab the sixth constructors' championship in eight years, while Honda made it six in a row propelling the cars of the victorious racing stables; Williams twice and four times McLaren. And Ayrton Senna did secure his third world title and even worried his competitors by winning the first four rounds of the 1991 season. But this time things were not quite so easy. On one hand, the prestigious Honda V12 power plant was bigger and heavier than its V10 predecessors and greedily devoured the stinking, and terribly expensive and poisonous, witches' brew that had been concocted in the laboratories of McLaren supplier Shell that year. On the other, the Anglo-French joint venture Williams-Renault became ever stronger, above all when Nigel Mansell sat at the wheel, the Englishman notching up five victories compared to Senna's six wins.

Spa-Francorchamps (B), M. Schumacher

Spa-Francorchamps (B), R. Moreno

Monza (I), M. Schumacher   ▼ Monza (I), M. Schumacher

Monza (I), R. Moreno   ▼ Estoril (P), R. Moreno

Zoveel is waar – McLaren behaalt de zesde constructeurstitel in acht jaar, de Honda-motoren leveren voor de zesde opeenvolgende keer de benodigde kracht voor de beste renstal en Ayrton Senna sleept zijn derde wereldtitel in de wacht door onder andere in de eerste vier wedstrijden direct vier eerste plaatsen te laten noteren. Maar toch gaat het hem deze keer niet zo gemakkelijk af. Zo is de prestigieuze Honda V12 groter en zwaarder dan de V10 die hem voorafging. Bovendien legt hij een buitensporige dorst aan de dag naar de smerig stinkende en extreem dure benzine, die in de laboratoria van brandstofleverancier Shell werd ontwikkeld. Maar ook wordt de Engels-Franse alliantie tussen Williams en Renault zienderogen sterker, vooral met Nigel Mansell aan het stuur, die tegenover de zes seizoenszeges van Senna er vijf weet te halen.

Imola (RSM), start, R. Patrese overtakes A. Senna and takes the lead

▼ São Paulo (BR), G. Berger

São Paulo (BR), A. Prost

▼ Montreal (CDN), J. Alesi

Barcelona (E), N. Mansell overtakes A. Senna

Silverstone (GB)

Silverstone (GB)

▼ Silverstone (GB), winner N. Mansell, with passenger A. Senna

Races

GP

Apart from the Benetton interlude in 1994 and '95, it was McLaren and Williams that forged the champions between 1984 and 1999 in a dogged game of chess. In 1992, it was again the turn of Frank Williams, who equipped Nigel Mansell with the irresistible tool named FW14B-Renault. The rugged Briton, still anxious to grab the title in spite, or rather because, of three failed attempts, transformed the season into a tribute to himself, adding another four victories to his initial wins in the first five rounds, as well as notching up fifteen starts from the first row, nine pole positions and eight fastest laps. Even Ayrton Senna was reduced to the part of an extra, with three wins at Monaco, at the Hungaroring, where Mansell had already secured his championship, and at Monza. In the soggy conditions that prevailed at Spa, Michael Schumacher won his first grand prix in the Benetton.

Budapest (HU)

▼ Budapest (HU), N. Mansell

▼ Montreal (CDN), A. Senna

▼ Budapest (HU), N. Mansell (from left to right) the new world champion, A. Senna, G. Berger

Het intermezzo van Benetton in 1994 en 1995 uitgezonderd, verdelen tussen 1984 en 1999 McLaren en Williams in een taai schaakspel de titels onder elkaar. In 1992 is Frank Williams weer aan de beurt. Met de FW14B-Renault geeft hij Nigel Mansell een onweerstaanbaar stuk gereedschap in handen. De sterke Brit, die na drie mislukte pogingen meer dan ooit kampioen wil worden, maakt van het seizoen 1992 een hommage aan zichzelf:

vijf zeges in de eerste vijf wedstrijden, daarna nog eens vier overwinningen, vijftien starts vanaf de eerste startrij waarvan negen maal op pole position, en acht snelste rondes. Daarbij verbleekt zelfs Senna in zijn McLaren-Honda met drie eerste plaatsen in Monaco, op de Hungaroring (waar Mansell de kampioenstitel al op zak heeft) en in Monza. In de druilregen van Spa wint Michael Schumacher in zijn Benetton zijn eerste Grand Prix.

Monaco, A. Senna, a tight win ahead of N. Mansell

Monaco, M. Schumacher bumbs J. Alesi out of the race

▼ Magny-Cours (F), M. Schumacher and A. Senna

Kyalami (ZA), M. Schumacher

Spa-Francorchamps (B), M. Schumacher the winner

▼ Silverstone (GB), M. Schumacher

Monaco, R. Patrese

Hockenheim (D), K. Wendlinger

▼ Montreal (CDN), D. Hill

GP

In 1993 just one figure and one letter had to be changed in the magic formula that opened the door to the title. This time it read Williams FW15C-Renault. The man who took advantage of it was triple champion Alain Prost who had returned to the fray after a year's sabbatical. He, too, did himself proud gathering seven victories, 13 pole positions and six fastest times of the day, before he retired from a grand prix career full of records. All the same, the Frenchman had left elbow-room for his competitors. In a hat-trick, his team-mate Damon Hill won the grands prix of Hungary, Belgium and Italy. In the Donington chaos of constantly changing conditions, Ayrton Senna drove one of his greatest races in the McLaren-Ford, took his sixth and record-establishing win at Monaco and, after a final first in the finale at Adelaide, left the team that had made him a superstar, with tears in his eyes.

Magny-Cours (F), A. Prost leads ahead of D. Hill

Monza (I), A. Senna

 Estoril (P), A. Prost

In 1993 hoeven aan de toverformule die de poort naar nieuwe titels opent slechts een cijfer en een letter te worden veranderd. Het resultaat heet Williams FW15C-Renault. De profiteur is de drievoudige kampioen Alain Prost die na een pauze van een jaar zijn rentree maakt. Na zeven zeges, dertien pole positions en zes snelste rondetijden toont hij zich royaal en trekt zich tevreden terug uit een Grand Prix-leven vol van records. Dat wil niet zeg-

gen dat hij anderen geen kans heeft gegeven: zijn teamcollega Damon Hill scoort een fraaie hattrick door achter elkaar de Grand Prix van Hongarije, België en Italië te winnen. Ayrton Senna rijdt in zijn McLaren-Ford in de regen in Donington een van zijn beste races, wint zijn zesde Grand Prix van Monaco en verlaat na zijn allerlaatste zege in de slotrace op het circuit in Adelaide de renstal die hem groot gemaakt heeft.

▼ Monaco, winner A. Senna

Montreal (CDN), D. Hill in the lead ahead of Prost, Berger, Alesi   ▼ Silverstone (GB), D. Hill   ▼ Silverstone (GB), A. Prost

▼ Silverstone (GB), M. Schumacher   ▼ São Paulo (BR), D. Hill   ▼ Kyalami (ZA), A. Prost   ▼ Barcelona (E), J. Alesi

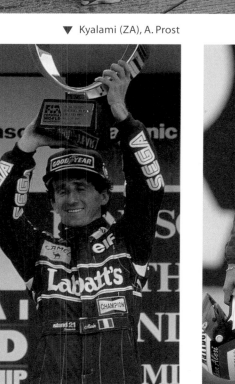

Donington (EU), A. Senna overtakes M. Schumacher at the start

▼ Monza (I), G. Berger

GP

A career soaring into the skies: In 1991 Michael Schumacher sat in a grand prix car for the first time at Spa, notched up his maiden victory there a year later and won his first title in 1994 in the nimble Benetton-Ford. The odds had been against him as he had to stay away from the rounds at Monza and Estoril, because of rule infringements at Silverstone, and was disqualified in Belgium at his beloved Spa circuit for a wooden underside plank which was found to be too worn. Yet another incident poisoned his triumph – at the finale in Adelaide his main competitor Damon Hill, driving a Williams-Renault, was sidelined when the two collided. But all that was overshadowed by the tragic events marring the San Marino Grand Prix on the first weekend in May: Rubens Barrichello's crash on Friday, Roland Ratzenberger's fatal accident on Saturday, Ayrton Senna's death on Sunday, putting an end to an era.

Een carrière die in de lift zit: in 1991 reed Michael Schumacher zijn eerste Grand Prix, in Spa. Een jaar later haalt hij daar zijn eerste zege en in 1994 wordt hij voor de eerste keer wereldkampioen in een snelle en wendbare Benetton-Ford. En dat terwijl hij wegens een regelovertreding in Sliverstone de wedstrijden in Monza en Estoril moet uitzitten en in België op zijn favoriete parcours van Spa wordt gediskwalificeerd omdat de houten bodemplaat onder zijn Benetton teveel schaafplekken vertoont. Nog een ander voorval verpest zijn succes: in de laatste wedstrijd in Adelaide smijt een botsing met zijn belangrijkste concurrent Damon Hill beiden uit de race. Tijdens het eerste weekeinde van mei voltrekt zich in Imola een regelrecht drama: op vrijdag is Barichello betrokken in een zware crash, op zaterdag verongelukt Roland Ratzenberger en op zondag Ayrton Senna. Het tragisch einde van een tijdperk.

94

Imola (RSM), 1st start, in the background JJ Letho stands still

Imola (RSM), the races is stopped due to A. Senna accident

▼ Imola (RSM), 2nd start

◀ Imola (RSM), A. Senna   ◀◀ Imola (RSM), R. Ratzenberger

▼ Imola (RSM), winner M. Schumacher

Monza (I), E. Irvine

Monza (I), M. Brundle

Magny-Cours (F), M. Schumacher ▶

Monza (I), G. Berger

▼ Monza (I), E. Bernard

Monza (I), A. Zanardi

▼ Monza (I), H.-H. Frentzen

GP

The king is dead, long live the king: Michael Schumacher emerged from the 1995 season with his second consecutive title, his employers Benetton clinching their only constructors' championship. Like his archrival Damon Hill in the Williams, he had the potent Renault V10 unit behind him. Hill was runner-up again, 33 points behind in the final standings, unlike in 1994, when he had lagged behind by just one point. A couple of times their smouldering rivalry led to physical contact on the track, at Silverstone, where Schumacher's team-mate Johnny Herbert consequently took victory, at Spa and at Monza. Herbert was to win again in 1995 at Monza and in 1999 at the Nürburgring in a Stewart. Jean Alesi, however, scored just one grand prix first in Montreal that year, in a Ferrari and on his birthday to boot. He rejoiced in tears, while Mika Hakkinen was lucky to survive a practice accident at Adelaide.

Monaco, accident at the start, in the front D. Coulthard, J. Alesi (27) and G. Berger (28)

▼ Spa-Francorchamps (B), M. Schumacher

De koning is dood, leve de koning. In het seizoen 1995 wint Schumacher voor de tweede keer achter elkaar de wereldtitel en bezorgt Benetton ook nog eens de constructeurstitel. In zijn nek voelt hij de adem van zijn aartsrivaal Damon Hill in de Williams, die net als de Benetton over een krachtige Renault V10 beschikt. Hill wordt opnieuw vice-wereldkampioen, met een achterstand van maar liefst 33 punten. Steeds weer leidt hun rivaliteit tot onvrij-

willige maar harde contacten op het circuit: in Silverstone, waar Schumachers teammaat Johnny Herbert de lachende derde is, in Spa en in Monza. Herbert wint nog in Monza en in 1999 in een Stewart op de Nürburgring. Jean Alesi boekt slechts één Grand Prix-zege, in een Ferrari in Montreal en dat op zijn verjaardag. Bij de huldiging staan hem de tranen in de ogen, terwijl Mika Häkkinen tijdens een trainingsongeluk in Adelaide de dood voor ogen heeft.

95

Monaco

▼ Hockenheim (D), winner M. Schumacher

Montreal (CDN), R. Moreno

Montreal (CDN), U. Katayama

▼ Montreal (CDN), J. Alesi

▼ Montreal (CDN), winner J. Alesi   ▼ Montreal (CDN), R. Barrichello (left), J. Alesi and E. Irvine   ▼ Budapest (HU), J. Alesi

Imola (RSM), N. Mansell

Buenos Aires (RA), M. Häkkinen ▲   ▼ Hockenheim (D), G. Berger gives M. Häkkinen a ride back to the Parc Fermé

▼ Imola (RSM), D. Hill

▼ Buenos Aires (RA), D. Coulthard

GP

Like father, like son: In 1996, Damon Hill equalled the achievement of the late Graham Hill and became Formula 1 world champion, splendidly equipped with the Williams FW18-Renault. His impressive total was eight victories in the season's 16 rounds, nine poles and five fastest laps. His chief rival Michael Schumacher had been hired by Ferrari to remedy a long-lasting crisis and was busy doing development work rather than grabbing wins. Hill's team-mate Jacques Villeneuve, pampered by success as the 1995 Indycar champion and Indy winner, had to adjust to the Formula 1 microcosm, and his new team, but made his presence and future claims felt with victories at the Nürburgring, at Silverstone, at the Hungaroring and in Estoril. Shortly before Monza he was informed that he shared the bitter lot of former Williams world champions – he had been fired.

Hockenheim (D), D. Hill

▼ Imola (RSM), J. Villeneuve

Zo vader zo zoon: in 1996 doet Damon Hill het zijn vader zaliger Graham Hill na en wordt Formule 1-wereldkampioen, daarbij uitgerust met de voortreffelijke Williams FW-18 Renault. Zijn palmares: acht zeges uit zestien seizoensraces, negen pole positions en vijf maal de snelste rondetijd. Rivaal Michael Schumacher verkeert samen met Ferrari in een voortslepende crisis en komt aan weinig anders toe dan ontwikkelen en testen. Hills team-collega Jacques Villeneuve, die het jaar ervoor het Indycar-kampioenschap had gewonnen, moet zich eerst nog aan de wereld van de Grand Prix en zijn team aanpassen. Niettemin toont hij zijn kwaliteiten aan met zeges op de Nürburgring, in Silverstone, op de Hungaroring en in Estoril. Kort voor de start in Monza bereikt Hill het bericht dat hij ontslagen is – een lot dat sommige van zijn voorgangers bij Williams ook al eens trof.

Barcelona (E), M. Schumacher, J. Todt ▼ Barcelona (E), winner M. Schumacher Barcelona (E), J. Alesi, J. Todt, M. Schumacher

Budapest (HU), D. Coulthard

▼ Budapest (HU), H.-H. Frentzen

Budapest (HU), J. Villeneuve

▼ Budapest (HU), J. Alesi

Silverstone (GB), M. Häkkinen

Hockenheim (D), R. Barrichello

▼ Hockenheim (D), J. Alesi and passenger G. Berger

Races

GP

Like father, like son, part two: For just two years Villeneuve junior had to live with the burden that he was the son of Ferrari legend Gilles Villeneuve. Then he stepped out of his illustrious ancestor's shadow, securing the 1997 world title in a Williams FW19-Renault, in spite of being banned from the Japanese Grand Prix after yellow flag infringements. The world championship was decided in the Grand Prix of Europe at Jerez. There the other pretender to the throne became physical with his Ferrari, damaging Villeneuve's car and putting himself out in an act of retributive justice, while the McLaren pairing of Mika Hakkinen and David Coulthard were heading for a one-two, the Finn's very first victory after seven years in the doldrums. Schumacher's deed was punished in an odd way: He was removed from the championship standings but could retain his wins and points.

Imola (RSM), H.-H. Frentzen

Hockenheim (D), M. Häkkinen, G. Berger, Schumi ▼   Imola (RSM), winner H.-H.-Frentzen

Hockenheim (D), winner G. Berger   ▼ Jerez (EU), M. Schumacher, J. Villeneuve

▼ Jerez (E), world champion J. Villeneuve

Zo vader zo zoon deel twee: twee jaar moet Villeneuve junior de last meedragen dat hij de zoon is van de Ferrari-legende Gilles Villeneuve, voor hij zichzelf kan bewijzen. De wereldkampioen van 1997 heet Jacques Villeneuve in een Williams FW19 Renault – ondanks een diskwalificatie in Suzuka wegens een regelover-treding. Het kampioenschap wordt beslist tijdens de Grand Prix van Europa in Jerez. Daar toont de andere titelkandidaat,

Michael Schumacher, zich met zijn Ferrari iets te opdringerig maar blijft in een moment van wederzijdse gerechtigheid op de baan. Ondertussen snellen de teamgenoten van McLaren-Mercedes Mika Häkkinen en David Coulthard op een dubbelzege af, voor de Fin de eerste overwinning na een aanloop van zeven jaar. Schumachers zonde wordt op curieuze wijze bestraft: verwijdering uit het klassement met behoud van punten en zeges.

Spielberg (A), collision between E. Irvine (left) and J. Alessi

Spielberg (A)　▼ Nürburgring (D), R. Schumacher is collides with his brother at the start

Jerez (EU), D. Hill

Jerez (EU), M. Häkkinen

Jerez (EU), R. Barrichello

Jerez (EU), J. Villeneuve

▼ Jerez (EU), S. Nakano

120

▼ Monaco, winner M. Schumacher

GP

In the 1998 season, the Formula 1 world witnessed the battle between the man Michael Schumacher and the marque McLaren, whose cars had been honed into formidable weapons by the brilliant technician and aerodynamicist Adrian Newey. To epitomise that battle the English media rhymed Schuey versus Newey. This did not detract from the merits of Mika Hakkinen, who entered the sport's hall of fame with nine pole positions and eight first, three second and four third places. The driver at the wheel of the promising Ferrari F300 was a worthy opponent with six victories, but also had to put up with the odd defeat, for instance in his home race at the Nürburgring where the Flying Finn beat him in a fair fight, no excuses. During the penultimate round in Suzuka, his right rear Goodyear tyre burst and that was it – for the time being, at least. Hakkinen, however, grabbed his first title.

Spa-Francorchamps (B), M. Schumacher, D. Coulthard   ▼ Spa-Francorchamps (B), E. Irvine's Ferrari after the collision at the start   Silverstone (GB) ▶

Het seizoen 1998 staat in het teken van de strijd van de man Michael Schumacher tegen het merk McLaren dat zijn auto's door de geniale ingenieur en aërodynamica-specialist Adrian Newey laat perfectioneren. 'Schuey versus Newey' rijmen de Engelse media in een treffende simplificatie. Dat doet niets af aan de verdiensten van Mika Häkkinen, die met negen pole positions, acht eerste plaatsen, drie tweede plaatsen en vier derde plaatsen zijn plek tussen de olympiërs van de racesport heeft verworven. De coureur van Ferrari's hoop, de F300, biedt met zes overwinningen flink weerstand maar moet ook pijnlijke nederlagen incasseren, zoals in de 'thuiswedstrijd' op de Nürburgring waar de 'vliegende Fin' hem in een direct duel verslaat. In de voorlaatste wedstrijd in Suzuka kampt de Ferrari met een klapband en kan Häkkinen het wereldkampioenschap voor zich opeisen.

Magny-Cours (F), M. Häkkinen ▼ São Paulo (BR), J. Alesi ▼ Magny-Cours (F), M. Schumacher ▼ São Paulo (BR), J. Villeneuve

124

Races

Monaco, M. Häkkinen in the lead ahead of D. Coulthard and G. Fisichella

▼ Suzuka (J), M. Schumacher congratulates M. Häkkinen for his world championship

GP

The round at Silverstone cut a dramatic caesura into the grand prix year 1999. In an accident immediately after the start, Michael Schumacher broke a leg and would miss the next seven races. He was replaced by Mika Salo, the blondest head to protrude from a Ferrari cockpit since Stefan Johansson. The hopes of the scuderia now lay with Eddie Irvine who had previously been their clearly defined number two. Indeed the cheeky Irishman rose to the occasion in a tremendous battle with the McLarens. It was quite in Formula 1 supremo Bernie Ecclestone's interests that the decision should be delayed until the finale at Suzuka. In the race preceding it, in Malaysia, Schumacher had returned triumphantly handing victory to Irvine on a plate. But his lieutenant faltered in Japan, while the Hakkinen and McLaren symbiosis worked perfectly, and the Finn was champion for the second time running.

Imola (RSM), M. Häkkinen

Imola (RSM), M. Schumacher

São Paulo (BR) ▶

Imola (RSM), R. Barrichello

Imola (RSM), J. Alesi

Imola (RSM), A. Wurz

▼ Imola (RSM), R. Zonta

Imola (RSM), D. Hill

▼ Imola (RSM), R. Schumacher

Het Grand Prix-jaar 1999 wordt bepaald door een dramatisch keerpunt in Silverstone: bij een botsing direct na de start breekt Michael Schumacher een been en is vervolgens gedwongen zeven wedstrijden toe te kijken. Hij wordt vervangen door Mika Salo, na Stefan Johansson de blondste haardos die ooit in een Ferrari-cockpit plaatsnam. De hoop van de Scuderia is nu helemaal op Eddie Irvine gevestigd, die in het team de duidelijke nummer twee was na de Duitser. Maar de brutale Ier groeit in een verbeten strijd met McLaren in zijn rol. Geheel naar de smaak van Formule 1-regisseur Bernie Ecclestone vindt de ontknoping pas in de laatste wedstrijd in Suzuka plaats. Schumacher keerde al in Maleisië grandioos terug, maar liet de zege aan Irvine. In Japan laat Irvine zich echter van zijn zwakke kant zien, in tegenstelling tot Häkkinen die opnieuw wereldkampioen wordt.

99

Monza (I), P. de la Rosa (15), L. Badoer (20)

▼ Monaco, M. Häkkinen

Barcelona (E), D. Coulthard

Montreal (CDN), M. Schumacher

▼ Suzuka (J), J. Alesi

Magny-Cours (F), E. Irvine

Spa-Francorchamps (B), M. Gené

GP

All's well that ends well: As to Formula 1, the new millennium saw Ferrari red. Passing the chequered flag at the finale in Kuala Lumpur, Michael Schumacher triggered off an avalanche of records and tied records, e.g. equalling Nigel Mansell's nine victories and 108 points in 1992, having his fair share in 135 wins, 137 pole positions and the tenth constructors' championship for Ferrari. Spice and drama of his own title arose not least from the fact that the season had its ups and downs before it could be celebrated prematurely. His three initial wins at Melbourne, Sao Paulo and Imola, and his last four at Monza, Indy, Suzuka and Sepang, were certainly impressive, as were his two victories in between at the Nürburgring and in Montreal. But then there was also the double shock of Spielberg and Hockenheim, when he was pushed from the track in the first corner in a grotesque déjà-vu.

Nürburgring (D), winner M. Schumacher

▼ Hockenheim (D), M. Schumacher and G. Fisichella collide at the start

▼ Hockenheim (D), M. Schumacher, G. Fisichella

Soms laten mooie dingen lang op zich wachten, en daarom begint het nieuwe millennium in Ferrari-rood. Michael Schumachers finish in Maleisië breekt en evenaart een hele serie records: negen overwinningen en 108 punten in één seizoen, net zoals Nigel Mansell in 1992. Ferrari kan voortaan bogen op 135 zeges, 137 pole positions en de tiende constructeurstitel. Schumachers eigen titelstrijd is een dramatische kwestie, aangezien hij deze met ups en downs, maar toch vroegtijdig in zijn voordeel beslist. De start is furieus, met drie zeges in Melbourne, São Paulo en Imola achter elkaar. Daarna volgen er twee middenin, op de Nürburgring en in Montreal, en aan het eind nog eens vier: in Monza, Indianapolis, Suzuka en Kuala Lumpur. Niet onvermeld mogen de twee missers van Hockenheim en Spielberg blijven, waar hij in de eerste bocht van de baan vliegt.

Spielberg (A), M. Schumacher after a spin

▼ Hockenheim (D), winner R. Barrichello

▼ Hockenheim (D), M. Häkkinen, R. Barrichello, D. Coulthard

Spa-Francorchamps (B), P. Diniz

Monza (I), H.-H. Frentzen

▼ Barcelona (E), N. Heidfeld

Magny-Cours (F), R. Schumacher

Spa-Francorchamps (B), M. Häkkinen   ▼ Spa-Francorchamps (B), M. Schumacher

▼ Sepang (MAL)

Races

GP

In 2001, the assumption that Formula 1 was in for a high pressure period for Ferrari materialised into a trend. As early as Spa, Michael Schumacher presented himself to the crowd as world champion old and new. In Monza a fortnight later, he was applauded like a Roman triumphator. Not only did he wear the purple gown of his fourth championship, but he had also broken new grounds notching up his 52nd win in Belgium. After Imola, McLaren driver David Coulthard had caught up with him in the standings. But then Schumacher, who had already been victorious at the curtain raising rounds at Melbourne and Malaysia, shattered the Scotsman's chances, scoring further wins at Barcelona, Monaco, the Nürburgring, Magny-Cours and Budapest, and later at Spa and Suzuka. After all, the best Schumacher of all times was in league with the best Ferrari in the history of the scuderia – the F2001.

Melbourne (AUS), R. Schumacher

São Paulo (BR), J. Trulli ▶

Melbourne (AUS), M. Schumacher

Melbourne (AUS), J. Button

▼ Spielberg (A), R. Barrichello

2001 lijkt de aanname dat net als halverwege de jaren zeventig en Ferrari-hogedrukgebied voortaan het Formule-1-weer gaat bepalen, werkelijkheid te worden. Al in Spa kan de oude kampioen, Michael Schumacher, zich de nieuwe noemen. Veertien dagen later rijdt hij op het Autodromo di Monza rond als de grote triomfator. Dat is niet alleen omdat hij al voor de vierde keer de lauwerkrans mag dragen. Met 52 Grand Prix-zeges is hij hard op weg een nieuw record te vestigen. Na Imola gaat de strijd met McLaren-coureur David Coulthard nog gelijk op. Maar daarna boort Schumacher, na twee gewonnen races in Melbourne en Kuala Lumpur, de illusies van de Schot de grond in: zeges in Barcelona, Monaco, op de Nürburgring, in Magny-Cours en in Boedapest. Ten slotte voegt hij er nog punten aan toe in Spa en in Suzuka, zwaar bewapend met de F2001, de beste Ferrari ooit.

01

Spa-Francorchamps (B), start, N. Heidfeld

Magny-Cours (F), H.-H. Frentzen

▼ Hockenheim (D), L. Burti

Monza (I), J. P. Montoya

▼ Monza (I), M. Schumacher

▼ Indianapolis (USA), M. Häkkinen

Races

GP

The 2002 season was again dominated by the Prancing Horse. For the first two races at Melbourne and Sepang, the preceding year's glorious F2001 was lured out of retirement and even went on winning in Australia. At Interlagos the "Red Goddess" as its successor the F2002 had been dubbed by the patriotic Italian press, was at the disposal of Michael Schumacher only, at Imola of his team-mate Rubens Barrichello, too. The Brazilian got along with the car particularly well. At Spielberg, he was heading for victory before he was relegated to second place behind Schumacher via radio. Instead, he won at the Nürburgring, a very happy man that day. But his colleague in red was already untouchable on his triumphant march into legend, scoring eleven victories, but with his fifth championship under his belt at Magny-Cours, after eleven out of 17 rounds – yet another record.

Spielberg (A), R. Schumacher ▼ Barcelona (E), J. P. Montoya ▼ Sepang (MAL), J. P. Montoya

Races

Ook het seizoen 2002 staat volledig in het teken van de cavallino ampante uit Maranello. Voor de twee eerste races in Melbourne en Maleisië wordt nog de glorierijke F2001 ingezet, waarmee – roals gebruikelijk – ook in Australië wordt gewonnen. In Interlagos taat de opvolger, de F2002 – door de Italiaanse pers dweperig de 'rode godin' gedoopt – ter beschikking, maar alleen voor Schumacher. In Imola komt ook teamgenoot Rubens Barrichello aan zijn trekken. Hij kan er zo goed mee overweg dat hij in Spielberg direct op een zege afstevent. Maar de teamleiding fluit hem terug en laat Schumacher winnen. Ter compensatie heeft Barrichello op de Nürburgring vrij spel, want daar is de legendarische triomftocht van zijn collega in rood al een feit. Schumacher wint dat seizoen elf Grand Prix-races en is in Magny-Cours al (vijfvoudig) kampioen, na 11 van 17 races – ook dat is een record.

02

Monaco, D. Coulthard in front of J. P. Montoya and M. Schumacher

Monaco, D. Coulthard (winner)

▼ Monaco, D. Coulthard

Monza (I), R. Barrichello

Nürburgring (EU), N. Heidfeld

▼ Sepang (MAL), G. Fisichella

Monza (I), P. de la Rosa

Budapest (HU), D. Coulthard

Magny-Cours (F), M. Schumacher

Budapest (HU), R. Schumacher, R. Barrichello (winner) and M. Schumacher

▼ Hockenheim (D), M. Schumacher (winner)

GP

The rule changes mapped out by the FIA in the aftermath of the 2002 season brought an element of imponderability into Formula 1. They were meant to forestall the monoculture of a man and a marque, Michael Schumacher and Ferrari. The basic items in a nutshell: one-shot qualification runs, no addition of fuel nor work on the cars between practice and race. Indeed the season produced seven winners, among them the youngest ever, Spaniard Fernando Alonso taking the Hungarian round. But then the number of would-be champions dwindled rapidly. In the last but one race at Indy, BMW-Williams driver Juan Pablo Montoya as one of the three remaining aspirants to the title eliminated himself from the reckoning. In the finale at Suzuka, McLaren Mercedes employee Kimi Raikkonen did his very best, which is a lot. But it was Schumacher who emerged triumphant again – for the sixth time.

Monaco, O. Panis

▼ A1-Ring (A), K. Räikkönen

Magny-Cours (F), N. Heidfeld

Imola (RSM), G. Fisichella

De veranderingen die de FIA in het bestaande reglement aan het einde van het seizoen 2002 doorvoert, leidt tot een zekere onevenwichtigheid in de Formule 1. De inzet is de monocultuur van een man en een merk te voorkomen: Michael Schumacher en Ferrari. De kern in het kort: de startpositie komt tot stand via individuele tijdritten en tussen kwalificatie en race mag niet worden bijgetankt noch aan de auto's worden gesleuteld. Het resultaat zijn zeven winnaars in één seizoen, onder wie de jongste uit de geschiedenis, de Spanjaard Fernando Alonso (in Hongarije). Daarna gaat het net als met de tien negertjes. Tijdens de voorlaatste race in Indianapolis blijft van de drie resterende titelkandidaten alleen BMW-Williams-piloot Montoya op de baan. In de laatste race in Suzuka doet Kimi Raikkönen in de McLaren-Mercedes een vergeefse poging en aan het einde is Schumacher wederom kampioen – de zesde titel.

03

Magny-Cours (F), F. Alonso

▼ Melbourne (AUS), M. Webber

▼ Malaysia (MAL), M. Schumacher pushes J. Trulli off the track at the start of the race

▼ Silverstone (GB), several vehicles in for a pit stop simultaneously

Races

Magny-Cours (F), R. Schumacher and J. P. Montoya at the start of the warm-up lap

▼ Monaco, J. P. Montoya   ▼ A1-Ring (A), R. Schumacher   ▼ Magny-Cours (F), J. P. Montoya

Races

▼ Monaco, R. Schumacher ahead of J. P. Montoya   ▼ Magny-Cours (F), R. Schumacher   ▼ Montreal (CDN), J. P. Montoya

Monaco, M. Schumacher

▼ Indianapolis (USA), M. Schumacher (winner)

▼ Suzuka (J), R. Barrichello (winner)

▼ Suzuka (J), M. Schumacher

Spa-Francorchamps (B) 1954, José Froilan Gonzalez

"Today's grand prix drivers must be young and hungry. The colourful characters of yore don't fit into our scientific age any longer." Amazingly, that insight was voiced 40 years ago by a certain Jim Clark. In 2003, it may sound like a gauntlet thrown at the feet of the unteachable advocates of the good old days. But even for the generations after the Scotsman's mysterious death it does not necessarily hold water. Then as now, racing drivers come from a cross-section of society, with the common denominator that they can drive a motor car faster than anybody else. The gain in speed of today's test-tube pilot is certainly at the expense of his colourfulness. But the Formula 1 spectacle is as fascinating as ever.

'De Grand-Prix-coureur van vandaag moet jong en hongerig zijn. De bonte types van giste-ren passen niet meer bij ons wetenschappelijk tijdperk.' Dit mag voor sommigen onge-loofwaardig klinken, maar het betreft een citaat van Jim Clark uit 1963. Wat achteraf gezien op een oorlogsverklaring aan de zeurende voorstanders van de goede oude tijd lijkt, gaat ook voor de generaties na de geheimzinnige dood van de Schot in 1968 niet volledig op. Ook autocoureurs vormen een representatieve groep van de bevolking, met als kleinste gemeenschappelijke noemer sneller auto te kunnen rijden dan de rest. Zeker is dat de hogere snelheden die de coureurs anno 2003 aandurven, ten koste is gegaan van het bonte karakter van het veld. Maar het spektakel is er niet minder fascinerend door geworden.

Nürburgring (EU) 2000, M. Schumacher

Drivers
Coureurs

Nino Farina (1906-1966)

Almost past his prime because of the war, Nino Farina secured his 1950 world title, the very first in Formula 1 history, at the ripe old age of 43. To his three wins in the Alfetta 158 that season he later added two more, at Spa in 1951 in the Alfetta 159 and at the Nürburgring in 1953 as a Ferrari works driver. His seating position made him famous – upright, his arms outstretched.

Ondanks dat de oorlog hem de beste jaren afnam, wint Nino Farina in 1950 de wereldtitel, de eerste in het bestaan van de Formule 1. Hij is op dat moment al 43. Aan zijn drie zeges in een Alfetta 158 voegt hij er later nog twee toe: in 1951 in Spa met een Alfetta 159 en in 1953 op de Nürburgring als fabriekscoureur van Ferrari. Hij wordt beroemd door zijn innovatieve houding achter het stuur: rechtop, maar met gestrekte armen.

Alberto Ascari (1918-1955)

Like his world champion colleagues Phil Hill, Niki Lauda and Michael Schumacher, the double titleholder of 1952 and '53 profited from a Ferrari boom. Ascari won 13 of his 32 grands prix, all for the Prancing Horse, with nine consecutive rounds in his championship years. In 1955 he had a close shave when his Lancia D50 flew into the Monaco harbour. Four days later he was killed at Monza in private testing.

Net zoals de kampioenen Phil Hill, Niki Lauda en Michael Schumacher buit de tweevoudige kampioen van 1952 en 1953 een Ferrari-hype uit. Ascari rijdt voor de 'steigerende hengst' 32 Grand Prix-races, waarvan hij er 13 wint, in 1952 en 1953 zelfs negen achter elkaar. In 1955 duikt hij met zijn Lancia D50 de haven van Monaco in, maar blijft ongedeerd. Vier dagen later komt hij om bij een privé-training in Monza.

Juan Manuel Fangio (1911-1995)

He drove his first grand prix at Reims in 1948, he contested his last at Reims in 1958. In the decade in between, he built his own legend from one-off achievements. With 24 wins out of 51 grands prix, his strike rate amounted to almost 50 percent. His five titles, for Alfa Romeo in 1951, for Mercedes in 1954 and '55, for Ferrari in 1956 and in a Maserati in 1957, would not be surpassed until the next millennium.

In Reims in 1948 rijdt hij zijn eerste Grand Prix en in 1958 zijn laatste. In het decennium ertussen richt Juan Manuel Fangio voor zichzelf een monument op uit louter unieke feiten. 24 zeges in 51 Grand Prix-races – ofwel een moyenne van bijna 50 procent. Zijn record, vijf titels, in 1951 in een Alfa Romeo, in 1954 en 1955 in een Mercedes, in 1956 in een Ferrari en 1957 in een Maserati, blijft ongebroken tot in het volgend millennium.

Mike
Hawthorn
(1929-1959)

Mike Hawthorn had one thing in common with Jochen Rindt: He did not get the chance to drive a single grand prix as world champion. The fair-haired and sensitive Englishman secured the 1958 title in a Ferrari, just one point ahead of his luckles compatriot Stirling Moss, who was by far the superior driver. Shocked by the deaths of some of his racing comrades, Hawthorn then retired, only to be killed himself in January 1959 in a road duel.

Evenals Jochen Rindt is het Mike Hawthorn niet gegund om als kampioen nóg een Grand Prix te rijden. De titel behaalt de gevoelige Brit in 1958 in een Ferrari. Hij heeft slechts één punt meer dan zijn onfortuinlijke landgenoot Stirling Moss, die in feite veel beter is dan hij. Verbijsterd door de dood van enkele racecollega's neemt hij afscheid van de racesport, maar sterft zelf in januari 1959 – tijdens een duel op een openbare weg.

Phil Hill
(* 1927)

Phil Hill won the Le Mans classic three times, in 1958, '61 and '62. Quite an achievement. By comparison, the three wins with which the first American world champion went down in Formula 1 history were trifling. In his championship year 1961, when the Ferrari 156/F1 annihilated the opposition, his two victories at Spa and at Monza sufficed as, at the Gran Premio d'Italia, his team-mate, friend and rival Count von Trips was killed.

Driemaal, in 1958, 1961 en 1962, wint Phil Hill Le Mans. Dat is nogal wat. Maar de drie zeges, waarmee voor het eerst een Amerikaanse wereldkampioen de annalen van de Formule 1 in gaat, zijn te verwaarlozen. In het jaar dat hij de titel wint, 1961, en zijn Ferrari 156/F1 alles en iedereen van de baan veegt, zijn twee zeges in Spa en Monza voldoende omdat zijn teammaat, vriend, rivaal en koploper Wolfgang von Trips verongelukt.

Jack
Brabham
(* 1926)

His 126 grands prix made "the Quiet Australian" almost deaf. Soon after his two 1959 and '60 championships in the tiny and nimble Coopers, he made up his mind to set up his own business building his own cars, winning his first grand prix for, and in a Brabham at Reims in 1966 and also that year's world title. It was the maiden season of the three-litre formula and "Black" Jack Brabham was better prepared than everybody else.

Zijn 126 Grand Prix-races hebben de 'stille Australiër' bijna doof gemaakt. Kort na zijn eerste twee titels in 1959 en 1960 in een piepkleine, maar heel wendbare Cooper neemt hij de touwtjes zelf in handen. Hij bouwt zijn eigen auto's en wint zijn eerste Grand Prix in een Brabham in 1966 in Reims. In hetzelfde jaar behaalt hij zelfs de wereldtitel, de eerste volgens de 3-liter-formule. 'Black' Jack Brabham bleek het beste te zijn voorbereid.

im Clark
1936-1968)

was the man to beat in the sixties: As
ly as his first championship year 1963,
"Flying Scotsman" won seven out of ten
mpionship rounds in Colin Chapman's
tweight Lotus 25, whose backbone was
first monocoque. In 1965 he secured
second title at the Nürburgring. He
ld even afford to skip Monaco and grab
ory at Indy instead. In April 1968, he was
d at Hockenheim in a Formula 2 race.

n ander wint in de jaren zestig zo vaak
im Clark. Al in het jaar van zijn eerste titel
pt de 'vliegende Schot' met Chapmans
nderauto, de Lotus 25, maar liefst zeven
tien Grand Prix-races in de wacht. In
5 kan hem op de Nürburgring de titel
meer ontgaan. Hij schittert zelfs door
ezigheid in Monaco om even in India-
olis te winnen. In april 1968 komt hij
Hockenheim om het leven in een For-
e 2-Lotus.

Graham
Hill
1929-1975)

r his five wins in the Principality, Hill was
wned the first King of Monaco. The
don driver with the bold moustache
multitalented: world champion in 1962
BRM and in 1968 in a Lotus, Indy win-
in 1966, victorious at Le Mans in 1972
boss of his own team. In 1975 he gave
racing but was killed in a tragic accident
en his Piper Aztec crashed on the foggy
ree airfield in the autumn of that year.

vijf zeges in het vorstendom wordt Hill
'koning van Monaco' gekroond. De
denaar met de snor is een razendsnel
nt: wereldkampioen in 1962 in een BRM
n 1968 in een Lotus, Indycar-winnaar in
6, winnaar in Le Mans in 1972, en ten
te chef van een eigen team. In 1975
dt Hills Formule 1-boek gesloten na een
delijke crash met zijn Piper Aztek op het
gveld Elstree in de herfst van dat jaar.

John Surtees (* 1934)

His title in the Ferrari 158 was only secured in the last three minutes of the 1964 season, during the finale at Mexico City. The two other contenders, Jim Clark and Graham Hill, had retired or been forced to do so. Ever since, he has been referred to as "the only world champion on two and on four wheels". After all, "Big John" Surtees' race car debut in 1960 was preceded by seven motor-bike championships.

Dat hem de titel in een Ferrari niet meer kan ontgaan, staat pas drie minuten vóór afloop van het seizoen 1964 vast. In de finale in Mexico City verspelen zijn rivalen Jim Clark en Graham Hill hun kansen door op te geven. Sindsdien kleeft aan Surtees de staande uitdrukking: 'De enige wereldkampioen op twee en vier wielen'. 'Big Johns' debuut in een raceauto in 1960 werd namelijk voorafgegaan door zeven titels met een motor.

Denis Hulme (1936-1992)

Denny was the most successful of the three Formula 1 musketeers from New Zealand, Bruce McLaren, Chris Amon and Denis Hulme; no daredevil at the wheel but rather a solid craftsman: with just one pole position, but eight grand prix victories, just two in his championship year 1967 in a Brabham. He drove 112 grands prix, finishing in the points 61 times.

Van de drie plankgas-musketiers uit het kiwiland Nieuw-Zeeland, Chris Amon, Bruce McLaren en Denis Hulme, is Denny de meest succesvolle. Hij is geen woeste waaghals, maar een solide arbeider: slechts één pole position, maar wel acht Grand Prix-zeges, waarvan maar twee in het jaar van zijn wereldtitel in 1967, in een Brabham. In zijn 112 Grand Prix-races finisht hij 61 keer bij de eerste zes.

Jackie Stewart (* 1939)

From Jim Clark he inherited the "Flying Scotsman" nom de guerre: When Jackie Stewart, in Formula 1 since the East London round in January 1965, notched up his three world titles in the alternating rhythm of 1969, 1971 and '73, practically no-one could hold a candle to him, apart maybe from the two Lotus drivers Emerson Fittipaldi and Ronnie Peterson, who pilfered the points from each other in his third championship year.

Hij is in feite de erfgenaam van de andere 'vliegende Schot', Jim Clark, en kent het Formule 1-vak sinds de Grand Prix in East London in januari 1965. In de jaren van zijn titels voor het Tyrrell-team in een afwisselend ritme, 1969, 1971 en 1973, is niemand tegen Jackie Stewart opgewassen. De beste kansen had hij in 1973 toen de Lotus-coureurs Emerson Fittipaldi en Ronnie Peterson de punten pakten.

Jochen Rindt (1942-1970)

From a statistical point of view, Karl Jochen Rindt was not one of the greats, with a total of 1,905 kilometres in the lead, ten poles and six wins in 60 grands prix, the first at Watkins Glen in 1969 in a Lotus 49 sporting the garish colours of its sponsor, the others a year later. But he was destined for great deeds in this sport, and he knew it. However on 5 September 1970, the Formula 1 had a dead world champion.

Statistisch gezien hoort Karl Jochen Rindt niet echt bij de allergrootsten. In totaal 1905 kilometer op kop van het veld, tien pole positions, zes zeges in 60 Grand Prix-races, de eerste in 1969 in Watkins Glen in een gesponsorde Lotus 49, de rest een jaar later. Maar hij heeft talent en dat weet hij ook. Echter, op 5 september komt de dood tijdens de training in Monza tussenbeide en heeft de Formule 1 een dode kampioen.

Emerson Fittipaldi (* 1946)

The elder of two racing brothers, Emerson just rocketed into the limelight: fourth in his second grand prix at Hockenheim in 1970, winner in his fifth at Watkins Glen, world champion, the youngest ever, in his third year 1972, all in a Lotus. In his fifth year Fittipaldi grabbed the title again, but in a McLaren, fast and smooth as ever. Then he left the Colnbrook squad to join his brother Wilson's team and that was it.

De oudste van de twee racende broers schiet als een komeet omhoog: een vierde plaats in zijn tweede Grand Prix in 1970 in Hockenheim, winnaar in zijn vijfde in het Amerikaanse Watkins Glen, wereld-kampioen in zijn derde jaar in 1972, alles in een Lotus. Daarmee is Emerson Fittipaldi de jongste kampioen ooit. In zijn vijfde seizoen wordt Fittipaldi opnieuw wereld-kampioen, maar nu in een McLaren. Snel en soepel, zoals altijd.

Drivers

Niki Lauda
(* 1949)

Niki Lauda took his 1975 and '77 titles as a Ferrari driver. It might have been three. But in 1976 he had a fiery accident at the Nürburgring, sat in the car again at Monza only to give up in the rain-sodden finale at Fuji, handing the crown to McLaren protagonist James Hunt on a golden platter. After a break in 1980 and '81 he smuggled himself into his third championship with a half-point advantage over McLaren teammate Prost.

Zijn titels uit 1975 en 1977 behaalt Niki Lauda in een Ferrari. Het hadden er drie kunnen worden, maar in 1976 maakt een ongeluk op de Nürburgring een eind aan zijn ambities. Hij zit in Monza alweer in zijn wagen, maar de regendans bij Fuji dwingt hem tot opgave. James Hunt in een McLaren pakt de titel. Na een pauze in 1980 en 1981 haalt hij in 1984 in McLaren zijn derde titel met slechts een half puntje vóór Alain Prost.

Coureurs

James Hunt (1947-1993)

In 1975 at Zandvoort, the long-haired Briton snatched his most impressive victory from Ferrari driver Niki Lauda. In 1976, a baffled Hunt found himself in the role of the number one driver at McLaren and became world champion after a titanic struggle with the Austrian – but only when Lauda, forever branded by his terrible Nürburgring accident, had climbed out of his red car after the second lap of the wet finale at Fuji.

Dé prestigezege van de langharige Brit is zijn overwinning in Zandvoort in 1975 in een Hesketh, vóór Ferrari-coureur Lauda. Tot zijn grote verbazing belandt Hunt ineens in de rol van de nummer een bij McLaren en wordt in 1976 na een verbeten duel met Lauda wereldkampioen – maar pas nadat de Oostenrijker, nog getekend door zijn ongeluk op de Nürburgring, in de regenfinale bij Fuji vroegtijdig uit zijn rode auto stapt.

Mario Andretti (* 1940)

The stocky American was one of the greatest all-rounders among the speed merchants, but only Graham Hill reaped the sport's sweetest fruits, the Formula 1 crown and victories at Le Mans and in the Indy 500. Mario Andretti did win at Indy in 1969 and did claim the 1978 Formula 1 world title in Colin Chapman's wonder weapons Lotus 78 and 79. But a success at Le Mans eluded the man from Nazareth, try as he might.

Hij is absoluut een van de grootste all-rounders van het vak. Maar de ultimatieve cocktail van de zoetste vruchten die deze sport biedt, blijft voorbehouden aan Graham Hill. Het klopt dat Andretti in 1969 Indycar-kampioen wordt en in 1978 de Formule-1-titel in Colin Chapmans super-wapens, de Lotus 78 en 79 behaalt. Maar een zege in Le Mans is ondanks alle pogingen niet weggelegd voor de bedaarde Amerikaan.

Jody Scheckter (* 1950)

The South African's seven victories between 1974 and '77 were scored in spite of his cars rather than in league with them. When Ferrari hired his services for 1979, the omens were propitious. The scuderia's T-models had ruled the roost for half of the decade and as early as Monza, Scheckter was hailed as the new champion. 1980 came as an anti-climax and after the season he left Ferrari and the sport, slightly bewildered.

De Zuid-Afrikaan behaalt de zeven zeges tussen 1974 en 1977 vaker ondanks dan dankzij zijn wagen. Dit verandert in 1979 als hij een vaste job krijgt bij Ferrari. De T-modellen van de Scuderia waren vijf jaar dominerend en al in Monza kan Scheckter zich als wereldkampioen laten vieren. In 1980 echter komt de anticlimax. Aan het eind van het seizoen besluit hij afscheid te nemen van de Scuderia en de sport.

Alan Jones
(* 1946)

1978 was the year in which the stocky driver Alan Jones, the up-and-coming team boss Frank Williams and his gifted technical director Patrick Head joined forces and were a force to be reckoned with from the word go. In 1980 there was no holding back the aggressively driving Australian. With five firsts and three second places in Head's masterpiece, the Williams FW07B, he made short work of his competitors.

1978 is het begin van een bijkans onverbrekelijke drie-eenheid van coureur Alan Jones, de ambitieuze teamchef Frank Williams en zijn begaafde constructeur Patrick Head. De zaken gaan zo goed dat in 1980 niets en niemand meer opgewassen is tegen de agressief rijdende Australiër. Met vijf eerste en drie tweede plaatsen in Heads meesterwerk, een Williams FW07B, komt zijn titel geen enkel moment in gevaar.

Nelson Piquet
(* 1952)

Piquet's third position on the grid at Montreal 1978 in a Brabham Alfa was rewarded with a works drive the following year by Brabham supremo Bernie Ecclestone. The Brazilian thanked him with his first title in 1981 and with his second in 1983, this time propelled by BMW turbo power instead of the Cosworth engine two years earlier. When he grabbed his third in 1987, Piquet pipped Williams team-mate Nigel Mansell, much to his chagrin.

De derde startplaats van Piquet in 1978 in Montreal in een Brabham-Alfa beloont Brabham-impresario Bernie Ecclestone een jaar later met een vaste baan. De Braziliaan bedankt hem hiervoor in 1981 met zijn eerste wereldtitel en in 1983 met zijn tweede, dit keer met een BMW-turbo in plaats van een Cosworth-motor. Bij zijn derde titel in 1987 blijft hij zijn mokkende Williams-Honda-collega Nigel Mansell maar net voor.

Keke Rosberg
(* 1948)

The "Flying Finn" had to wait for a long time until all positive factors came together in 1982 and Lady Luck was eventually on the side of a man who thoroughly deserved it. He had replaced Alan Jones at Williams, even becoming the number one in the team when Carlos Reutemann, the other Williams star, gave up after two rounds. Rosberg won the title with just one victory, at Dijon, but many good race standings.

De 'vliegende Fin' heeft veel geduld nodig als pas in 1982 alles naar wens verloopt en het geluk hem een handje helpt. Als vervanger van Alan Jones rijdt hij een Williams en wordt zelfs de nummer een als Carlos Reutemann, de andere Williams-ster, het na twee races voor gezien houdt. Met goede resultaten werkt Keke zich onophoudelijk naar de titel toe en wint die met slechts één overwinning, in Dijon.

Alain Prost
(*1955)

When Alain Prost retired at the end of the 1993 season he lagged just one title behind Fangio's legendary handful of championships. That aside, the little Frenchman was the greatest up to that point. 51 victories in 199 grands prix, 798.5 points altogether – amounting to an average of four per race. There were other impressive achievements as well: 33 poles, 86 starts from the first row, 41 fastest laps.

Toen Alain Prost aan het eind van het se
zoen 1993 met pensioen ging, had h
slechts één titel minder dan het legenda
rische handjevol van Fangio. Dit doet niet
af aan het feit dat de kleine Fransman d
grootste is: met 51 zeges in 199 Grand Prix
races en in totaal 798,5 punten, ofwel ge
middeld vier per race. Daar komen nog ee
paar overtuigende prestaties bij: 33 pol
positions, 86 starts vanaf de eerste rij e
41 snelste ronden.

Ayrton Senna (1960-1994)

His face alone betrayed it all: inscrutability as well as the iron will to succeed. Until his tragic death at Imola in 1994, Ayrton Senna did prove his point, with three titles in 1988, 1990 and '91, always in a McLaren, 41 grand prix victories and 13,645 kilometers in the lead. His 65 pole positions bore witness to his fascinating gift to stay 100 percent focused for one and a half minutes.

In zijn gelaat staan ondoorgrondelijkheid en de wil om te winnen. Dit bewijst Ayrton Senna tot aan zijn tragische dood in Imola in 1994 vaak genoeg: drie wereldtitels in een McLaren in 1988, 1990 en 1991, 41 Grand-Prix-zeges en 13.645 kilometer op kop van het veld. Zijn 65 pole positions getuigen van zijn fascinerende vermogen zich anderhalve minuut extreem te kunnen concentreren.

Nigel Mansell (* 1953)

The charismatic and lion-hearted Englishman had to wait for five years before his first victory materialised, at Brands Hatch in 1985 in a Williams-Honda, and another seven for his passionately-coveted title. Three attempts failed at the very last moment. But then, in 1992 and again in a Williams, the time had come. What a season: 14 poles, 15 starts from the first row, eight fastest laps, nine victories, his archrival Senna defeated.

Vijf Grand Prix-jaren moet de charismatische Brit met vechtersmentaliteit op zijn eerste zege wachten. In 1985 in een Williams-Honda in Brands Hatch is het zover. Elf jaar moet hij wachten op de langverwachte titel maar na drie vergeefse pogingen is het in 1992 zover, opnieuw in een Williams. Wat een seizoen: 14 pole positions, 15 starts uit de eerste rij, acht snelste ronden, negen zeges, en aartsrivaal Ayrton Senna gedemonteerd.

Damon Hill (* 1960)

Damon Hill, the son of double world champion Graham Hill, could not but bide his time. Aged 33, he sat in a Williams in 1993 and notched up three victories in his first season with the team. In his second, his title bid just failed. In 1995 a sequence of strange events prevented him from achieving his objective. But a year later he was world champion like his father, no strings attached. But he was also fired – what a cruel irony.

Pas laat komt Damon Hill, de zoon van de tweevoudige kampioen Graham Hill, aan zijn trekken. In 1993 zit hij, 33 jaar oud, in een Williams en revancheert zich in zijn eerste seizoen meteen met drie zeges. In zijn tweede seizoen wordt hij net niet wereldkampioen. In 1995 staat er een reeks merkwaardige gebeurtenissen tussen hem en zijn doel. Maar in 1996 is het dan zover – een titel én een ontslagbrief. De perfecte ironie!

Michael Schumacher (* 1969)

Whatever can be said about him has already been said. Michael Schumacher's deeds have been documented, commented upon and analysed like the Twelve Labours of Hercules in Greek mythology. Just for the sake of statistics: six titles, one more than long-term record holder Fangio, 70 victories, 51 of which for Ferrari, out of 194 grands prix, 99 podiums. And we are in for more ...

Alles, maar dan ook alles is al over hem gezegd: de daden van Michael Schumacher zijn net zo vastgelegd, becommentarieerd en geanalyseerd als waren het de Twaalf Werken van Hercules uit de Griekse mythologie. Nog even heel kort een paar statistische gegevens: zes wereldtitels – één meer dan de recordhouder tot dusver Fangio – 70 zeges in 194 Grand Prix-races, daarvan 51 voor Ferrari, 99 maal juichend of zwijgend op het trapje. En zo mag het gerust nog even doorgaan ...

Jacques Villeneuve
(* 1971)

Like Damon Hill, the offspring of a legend, Jacques Villeneuve was never prepared to make do with peanuts, as became apparent with his 1995 crown in the parallel universe of the IndyCar World Series. In 1997 he was Formula 1 world champion as well, in a Williams, where else during those years. Michael Schumacher's deliberate push at Jerez, the German's last attempt to topple his rival from the throne, just backfired.

Evenals Damon Hill is ook Jacques Villeneuve de zoon van een voormalig racevedette. En net als zijn vader is de zoon met het kampioenschap van de Indycar World Series in 1995 nog niet tevreden. In 1997 wordt hij in een Williams kampioen in de Formule 1. Michael Schumachers duw in Jerez, een laatste poging om zijn rivaal van de titel af te houden, werd voor Schumacher de bekende kuil die je voor een ander graaft.

Mika Häkkinen
(* 1968)

Not least his iron self-discipline had him wait patiently for seven long Formula 1 years until the time was ripe for success, quite like his friend, mentor, compatriot and fellow world champion Keke Rosberg. Then from 1997 at Jerez, always in a McLaren, triumph kept flocking in with 20 victories and the two titles in 1998 and '99. At the end of the 2001 season, Mika retired, content and a little fed up with racing, to look after his wife and his little son.

Onder andere dankzij zijn ijzeren zelfdiscipline kon Häkkinen zeven jaren geduldig wachten eer zijn grote ogenblik kwam. In dat opzicht lijkt hij op zijn mentor, landgenoot, vriend en collega-titelhouder Rosberg. Daarna, vanaf Jerez 1997, volgen 20 zeges en twee wereldtitels in 1998 en 1999, alles in een McLaren. Aan het einde van het seizoen 2001 gaat hij tevreden met pensioen om zich aan zijn familie te kunnen wijden

F. Gonzalez

P. Collins

L. Musso

▼ T. Brooks, S. Moss

▼ M. Trintignant

Behra

R. Salvadori

▼ v. Trips

D. Gurney

W. Mairesse

▼ B. McLaren

J. Bonnier

R. Ginther

▼ I. Ireland

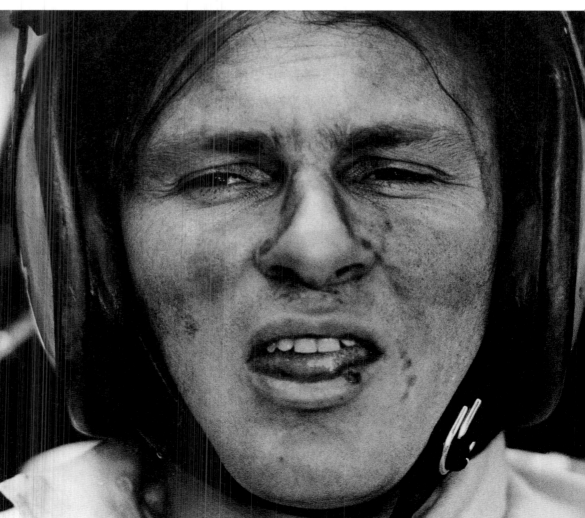

.. Bandini

P. Revson

P. Rodriguez

▼ G. Baghetti

. Rindt

▼ J.-P. Beltoise

Coureurs

L. Scarfiotti

▼ M. Spence

C. Amon

▼ M. Parke

Drivers

J. Oliver

▼ G. Hill

J. Siffert

▼ J. Clark

Coureurs

C. Regazzoni

J. Ickx

J. Rindt

M. Andretti ▼

P. Rodriguez ▼

J. Brabham ▼

1971

P. Gethin

J. Siffert

Stewart

▼ E. Fittipaldi

R. Stommelen

▼ F. Cevert

Coureurs

J. Ickx

▼ From left: M. Hailwood, N. Lauda and R. Peterson

G. Hill

1973

J.-P. Beltoise

▼ From left: R. Peterson, E. Fittipaldi and C. Chapman

P. Revson

▼ From left: K. Tyrrell, F. Cevert and J. Stewart

M. Hailwood

C. Pace

Grosser P

▼ E. Fittipaldi   J. Scheckter, C. Regazzoni

J. Watson   ▼ P. Depaille

Drivers

L. Lombardi

C. Reutemann

▼ V. Brambilla   M. Donohue

M. Ertl   ▼ N. Lauda

J. Hunt   ▼ J. Mass   ▼ A. Merzario   ▼ C. Regazzo

1977

Nilsson

J. Scheckter

H.-J. Stuck

▼ N. Lauda, C. Reutemann

1978

E. Fittipaldi

J. Watson

R. Peterson ▼ M. Andretti

J. Hunt ▼ R. Stommele

Drivers

1979

Laffite

C. Reutemann

R. Arnoux

Lammers

N. Lauda

D. Pironi

▼ G. Villeneuve, J. Scheckter

J. Mass

E. Fittipaldi

J. Mass, A. Jones (winner) and E. de Angelis   ▼ M. Andretti   ▼ R. Arnou

Drivers

1981

. Pironi

M. Alboreto

J. Watson

▼ R. Arnoux, A. Prost

R. Patrese

K. Rosberg

N. Mansell

▼ D. Pironi, G. Villeneuve

1983

A. de Cesaris

J. Watson

From left: G. Murray, N. Piquet and B. Ecclestone ▼ J. Laffite, K. Rosberg

A. Prost (winner) and P. Tambay ▼ R. Arnoux

S. Bellof

M. Alboreto, R. Arnoux

▼ N. Lauda, A. Prost   A. Senna

E. de Angelis   ▼ D. Warwick

Drivers

1985

M. Winkelhock, P. Alliot

. Boutsen, G. Berger

▼ J. Laffite

P. Tambay

. Fabi

▼ N. Piquet

Coureurs

R. Patrese, B. Ecclestone

M. Alboreto

C. Danner ▼

S. Johansson

J. Laffite ▼

A. Prost ▼

N. Mansell

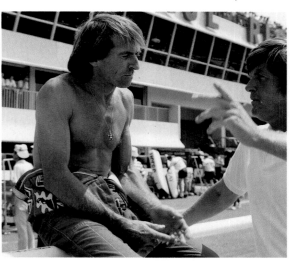

1986, 1987

M. Brundle

J. Palmer

S. Nakajima

▼ N. Piquet

N. Piquet

G. Berger

A. Nannini

▼ A. Senna

Alain Prost /Ayrton Senna

P. Streiff

▼ B. Schneider

1989

R. Moreno

. Patrese   ▼ J. Herbert   ▼ A. Prost and N. Mansell (winner)   J. Alesi

Coureurs

1990

A. Caffi

P. Martini

A. Prost

▼ M. Alboreto

JJ Lehto

▼ J. Ales

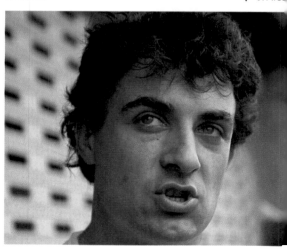

Drivers

S. Johansson

M. Schumacher

▼ A. Senna, G. Berger   N. Mansell

I. Capelli   ▼ N. Piquet

Coureurs

M. Häkkinen

▼ R. Patrese and A. Newey (front)

G. Berger

▼ K. Wendlinger

A. Senna, M. Schumacher and A. Prost (winner)

M. Alboreto

▼ R. Barrichello and father

J. Herbert

▼ D. Hill, F. Williams

Coureurs

1994

R. Barrichello

O. Panis

 J. Alesi

A. Senna

H.-H. Frentzen  D. Coulthard

1995

M. Schumacher

M. Salo

G. Berger

▼ The British drivers: M. Blundell, M. Brundle, E. Irvine, J. Herbert, D. Hill and D. Coulthard

D. Hill

M. Häkkinen

▼ M. Schumacher

J. Verstappen

▼ H.-H. Frentzen

Drivers

1997

R. Schumacher

J. Alesi

▼ R. Barrichello

J. Herbert

▼ J. Villeneuve

Coureurs

J. Villeneuve

P. Diniz, M. Salo

E. Irvine

▼ M. Häkkinen

G. Fisichella

▼ A. Wurz

1999

R. Schumacher

Michael and Corinna Schumacher

▼ H.-H. Frentzen, E. Jordan

A. Zanardi

Hill

▼ J. Herbert

Coureurs

J. Verstappen

J. Button

D. Coulthard

▼ G. Berger, R. Schumacher, M. Theissen

K. Räikkönen

J. P. Montoya

▼ M. Schumacher, M. Häkkinen (winner) and R. Barrichello   N. Heidfeld

H.-H. Frentzen   ▼ K. Trulli, O. Panis

J. Button

 D. Coulthard

M. Schumacher, R. Barrichello

M. Schumacher, J. P. Montoya, R. Schumacher ▼ M. Salo, E. Irvine

Drivers

2003

G. Fisichella

F. Alonso

Coureurs

▼ K. Räikkönen   M. Webber

▼ C. da Matta

Jim Clark, Monaco 1964

The face, they say, is the mirror of the soul. During the first two decades of Formula 1, the dust caps of one Alberto Ascari or Froilan Gonzalez, the leather head protection of one Juan Manuel Fangio, the Cromwell and even jet helmets of men like Count von Trips or Jack Brabham afforded so much insight that an ego could be read like a book. In 1968, the safety-conscious Jackie Stewart introduced the integral helmet, changing this part of the racing driver's professional uniform into a medium to convey what the individual wants or has to say. At the same time, it has offered ever more protection and ever more comfort: Michael Schumacher's diamond-hard high-tech helmet sports a rev-counter, as well as visor heating and a ventilation system.

Het gelaat is, volgens zeggen, de spiegel van de ziel. In de eerste twee decennia van de Formule 1 gunden de coureurs ons nog veel inkijk in de etalage van hun ego. Dat gold voor allen: Alberto Ascari en Froilan Gonzalez met hun stofkappen, Juan Manuel Fangio met een leren hoofdbedekking, de Cromwellhelmen en de jethelmen van graaf Von Trip en Jack Brabham. In 1968 voert veiligheidsfanaat Jackie Stewart de integraalhelm in. Hij maakt e tevens een onderdeel van de beroepskleding van, een medium van het eigen ik, dat on: zegt wat de mens erachter wil of moet. Maar hij biedt ook meer bescherming en comfort In de staalharde hightechhelm van Michael Schumacher zitten een toerenteller, vizier verwarming en koeling.

Michael Schumacher, Hungaroring (H) 2002

Helmets
Helmen

▼ Onofre Marimon, Reims (F) 1954

▼ Joakim Bonnier, Monza (I) 1962

▼ Lorenzo Bandini, 24h Le Mans 1963

▼ Jack Brabham, Spa-Francorchamps (B) 1962

▼ Willy Mairesse, Spa-Francorchamps (B) 1963

Helmets

▼ Innes Ireland, Spa-Francorchamps (B) 1963

▼ Dan Gurney, Zandvoort (NL) 1968

▼ Piers Courage, Monaco 1970

Clay Regazzoni, Zandvoort (NL) 1970

Jo Siffert, Zandvoort (NL) 1970

Denny Hulme, Jarama (E) 1972 ▼

Arturo Merzario, Zeltweg (A) 1973 ▼

Carlos Pace, Zeltweg (A) 1973 ▼   Jochen Mass, Le Castellet (F) 197

Jackie Stewart, Jochen Rindt

Jochen Rindt, Zandvoort (NL) 1966

Jochen Rindt, Spa-Francorchamps (B) 1968 ▼ Jackie Stewart, Spa-Francorchamps (B) 1966 ▼ Jackie Stewart, Zandvoort (NL) 1973 Jochen Rindt, Hockenheim (D) 1970

▼ Jackie Stewart, Monza (I) 1972

Jarama (E) 1970

Zandvoort (NL) 1969

6h Watkins Glen (USA) 1972

▼ Le Castellet (F) 1973

Le Castellet (F) 1971

▼ Jarama (E) 1974

Emerson Fittipaldi

Silverstone (GB) 1973

jon (F) 1974

▼ Nürburgring (D) 1975   Zolder (B) 1973

rama (E) 1976   ▼ Hockenheim (D) 1979

Hockenheim (D) 1977

Dijon (F) 1974

Brands Hatch (GB) 1982

Zeltweg (A) 1984   Brands Hatch (GB) 1976

Estoril (P) 1984

Nelson Piquet, Alain Prost

Nelson Piquet, Spa-Francorchamps (B) 1988

Nelson Piquet, Zandvoort (NL) 1983   ▼ Alain Prost, Imola (RSM) 1981   ▼ Alain Prost, Kyalami (ZA) 1993   Nelson Piquet, Monza (I) 1991

▼ Alain Prost, Estoril (P) 1990

▼ Damon Hill, Silverstone (GB) 1999

Johnny Herbert, Melbourne (AUS) 2000

▼ Eddie Irvine, Magny-Cours (F) 1998

▼ Mika Häkkinen, Hockenheim (D) 2001

Jacques Villeneuve, Hungaroring (H) 2001

▼ Eddie Irvine, Hockenheim (D) 2001

Ayrton Senna

Brands Hatch (GB) 1986

▼ Hockenheim (D) 1991   ▼ Imola (RSM) 1994   Monza (I) 1987

▼ Hungaroring (H) 1992

Helmen   229

Derek Bell, Monza (I) 1972

Brian Redmann, Zolder (B) 1974

▼ Derek Warwick, Estoril (P) 1990

▼ Martin Brundle, Spa-Francorchamps (B) 1994

▼ Martin Brundle, Monaco 1996

Great Britain

▼ Nigel Mansell, Hungaroring (H) 1991

Nigel Mansell, Le Castellet (F) 1986

Nigel Mansell, Jerez (EU) 1994

▼ Johnny Herbert, Suzuka (J) 1999

▼ Jenson Button, Magny-Cours (F) 2003

▼ Justin Wilson, Hungaroring (H) 2003

▼ Helmut Marko, 1000 km Monza (I) 1971

▼ Roland Ratzenberger, São Paulo (BR) 1994

Karl Wendlinger, Monza (I) 1993

▼ Gerhard Berger, Monza (I) 1986

▼ Gerhard Berger, Phoenix (USA) 1990

▼ Gerhard Berger, Estoril (P) 1995

▼ Gerhard Berger, Estoril (P) 1995

▼ Alexander Wurz, Hungaroring (H) 1998

▼ Alexander Wurz, Melbourne (AUS) 2003

Germany

tefan Bellof, Dijon (F) 1984

ernd Schneider, Rio de Janeiro (BR) 1988

▼ Heinz-Harald Frentzen, Montreal (CDN) 2000

▼ Ralf Schumacher, Barcelona (E) 2002

▼ Christian Danner, Hockenheim (D) 1989

▼ Ralf Schumacher, Sepang (MAL) 2003

▼ Ivan Capelli, Spa-Francorchamps (B) 1989

▼ Andrea de Cesaris, Montreal (CDN) 1994

▼ Gabriele Tarquini, Silverstone (GB) 1992

▼ Jarno Trulli, Melbourne (AUS) 1999

Marco Apicella, Monza (I) 1993

▼ Ignazio Giunti, Spa-Francorchamps (B) 1970

▼ Michele Alboreto, Imola (RSM) 1984

Teo Fabi, Jerez (E) 1986

▼ Riccardo Patrese, Hockenheim (D) 1991

France

▼ Jean Alesi, Barcelona (E) 1995

Jean Alesi, Estoril (P) 1996

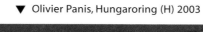

Jean Alesi, Nürburgring (EU) 2001

▼ Didier Pironi, Dijon (F) 1981   ▼ Olivier Panis, Hungaroring (H) 2003

▼ Jean-Pierre Jabouille, Le Castellet (F) 1975

▼ Spa-Francorchamps (B) 1991

▼ Silverstone (GB) 1992

▼ Jerez (EU) 199

▼ Spa-Francorchamps (B) 1991

▼ Hungaroring (H) 199

▼ Melbourne (AUS) 199

▼ Melbourne (AUS) 2000

▼ Melbourne (AUS) 2002

▼ Montreal (CDN) 200

Michael Schumacher

Suzuka (J) 1998

arcelona (E) 2001   ▼ Montreal (CDN) 2001   ▼ A1-Ring (A) 2003   Indianapolis (USA) 2001

▼ Magny-Cours (F) 2002

Kimi Räikkönen, A1-Ring (A) 2003

Kimi Räikkönen, A1-Ring (A) 2003

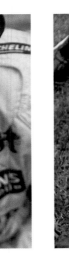

▼ Juan Pablo Montoya, Magny-Cours (F) 2003

Mark Webber, Imola (RSM) 200

▼ Juan Pablo Montoya, São Paulo (BR) 2003   ▼ David Coulthard, Hungaroring (H) 2003   ▼ Nick Heidfeld, Hungaroring (H) 200

Giancarlo Fisichella, Hungaroring (H) 2003

Jarno Trulli, Hungaroring (H) 2003

▼ Fernando Alonso, Hungaroring (H) 2003

▼ Cristiano da Matta, Hungaroring (H) 2003

▼ Nicolas Kiesa, Hungaroring (H) 2003

Only the three pillars on which success in this sport rises and falls, have remained unaffected by half a century of continuous evolution, the curve bending upwards in exponential haste in the second half of that epoch: tyres, chassis and engine. This is epitomised by racing photography of the two greatest in modern grand prix history. On the one hand there is Fangio in his Lancia-Ferrari D50, the driver erect, his vehicle somehow resembling a run-of-the-mill motor car, though obviously in stark abstraction. And there is Michael Schumacher in the Ferrari F2003-GA, almost in a horizontal position and claustrophobically wedged into a four-wheeled missile made of carbon-fibre. There is no resemblance to familiar means of transportation whatever. What a difference.

Ongevoelig voor 50 jaar evolutie, waarvan de curve in de tweede helft van de 20e eeuw onevenredig snel omhoog is geschoten, bleven in feite alleen drie zuilen: banden, chassis en motor. Hiermee staat of valt het succes in deze sport. Opnames van de twee besten uit het Grand Prix-circus leveren hiervoor het bewijs. Neem Fangio in zijn Lancia-Ferrari D50. De coureur zat rechtop in zijn bolide die nog wel op een auto leek, maar alleen met het allernoodzakelijkste. En neem dan Michael Schumacher in zijn Ferrari F2003-GA, liggen opgesloten in een razende en met elektronica volgestopte gevangenis uit koolstofveze een bolide waarvan de gelijkenis met een bekend verkeersmiddel volledig ontbreek Groter kan het verschil tussen de twee bi

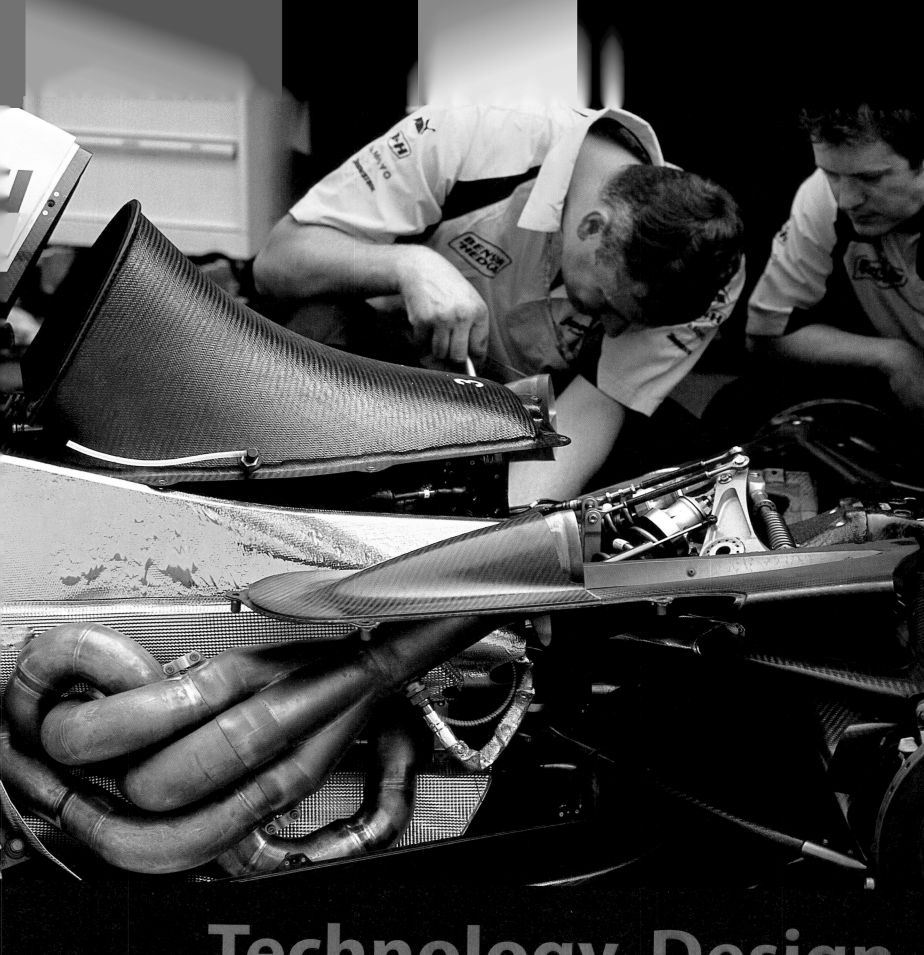

Technology, Design
Techniek, Design

1950-2003

Monaco 1976, 312 T2, N. Lauda

Monaco 1979, 312 T4, J. Scheckter

Monaco 1980, 312 T5, J. Scheckter

Monaco 1984, 126C4, M. Alboreto

Monaco 1985, 156/85, S. Johansson

Monaco 1986, F186, M. Alboreto

Monaco 1992, F92A, J. Alesi

Monaco 1993, F93A, G. Berger

Monaco 1994, 412T1, J. Alesi

Monaco 1998, F300, E. Irvine

Monaco 1999, F399, E. Irvine

Monaco 2000, F1-2000, M. Schumacher

Ferrari

Technology, Design

Monaco 1981, 126CK, G. Villeneuve

Monaco 1982, 126CK, D. Pironi

Monaco 1983, 126C2B, R. Arnoux

Monaco 1988, 187/88C, G. Berger

Monaco 1989, 640, N. Mansell

Monaco 1990, 641, N. Mansell

Monaco 1995, 412T2, G. Berger

Monaco 1996, F310, M. Schumacher

Monaco 1997, F310B, E. Irvine

Monaco 2001, F2001, M. Schumacher

Monaco 2002, F2002, M. Schumacher

Monaco 2003, F2003-GA, M. Schumacher

errari, they say, has been part and parcel of Formula 1 from the outset. Not quite: They stayed way from the first world championship round in England in 1950 and have been present ince the second one, in Monaco, with some exceptions – a liberty the red marque's patriarch nzo Ferrari laid claim to particularly in periods of crisis. Between its first victory, at Silverstone n 1951 with Argentinian Froilan Gonzalez at the wheel, and the end of the 2003 season, he scuderia has amassed loads of superlatives, 13 drivers' and 13 constructors' titles, of vhich five successive since 1999, 167 grand prix victories as well as countless wins in other errari domains such as GT and sportscars, nine at Le Mans, eight at the Mille Miglia and seven t the Targa Florio. But the commendatore was also more familiar with racing death than thers. In Ferrari single-seaters were killed men like Eugenio Castellotti, Luigi Musso, Peter Collins, Wolfgang Count von Trips, Lorenzo Bandini and Gilles Villeneuve, whom the Maranello utocrat called his "Little Prince of Destruction" almost tenderly.

Volgens zeggen is Ferrari het team van het eerste uur. Dit is niet geheel juist: bij de eerste Grand Prix in Engeland in 1950 ontbreekt Ferrari. Pas vanaf de tweede Grand Prix in Monaco geeft het team voortaan acte de présence, uitzonderingen daargelaten – een vrijheid waarop de patriarch Enzo Ferrari vooral in crisistijden graag teruggrijpt. Tussen de eerste zege van de Scuderia door de Argentijn Froilan Gonzalez op 14 juli 1951 in Silverstone en het einde van het seizoen 2003 staat een hoge berg superlatieven: 13 coureurstitels, 13 constructeurstitels waarvan vanaf 1999 vijf achter elkaar, 167 Grand Prix-zeges en talloze successen in andere Ferrari-domeinen, de sport- en GT-wagens. Er zijn negen overwinningen in Le Mans, acht bij de Mille Miglia en zeven bij de Targa Florio. Maar als geen ander is de 'commendatore' vertrouwd met de racedood. Voor het rode merk lieten mannen zoals Eugenio Castellotti, Luigi Musso, Peter Collins, Wolfgang Graaf Berghe von Trips, Lorenzo Bandini en Gilles Villeneuve het leven. De laatste noemde de oude man liefkozend zijn 'prins van de vernieling'.

Modena (I) 1951, racing department, production of the 375F1   ▼ 1952, 2000 cc Ferrari   ▼ Syrakus (I) 1958, 246 F1 V

▼ Spa-Francorchamps (B) 1964, 158 V8

▼ Monaco 1967, 312 V12

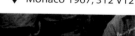

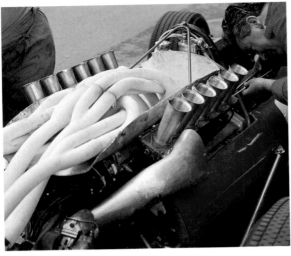

Monaco 1967, 312 F1 V12

Monza (I) 1968, hydraulic wing adjustment

Silverstone (GB) 1969, 312/69 V12

Monza (I) 1974, 312 B3, C. Regazzoni

▼ Monza (I) 1971, 312 B

▼ Monaco 1971, 312 B2

Technology, Design

Monaco 1969, 312/69 V12

Zandvoort (NL) 1971, 312 B2

Long Beach (USAW) 1977, 312 T2

▼ Jarama (E) 1979, 312 T4

▼ Dijon (F) 1979, 312 T4, J. Scheckter

Techniek, Design

Monaco 1980, 312 T5, slicks

▼ Monza (I) 1979, 312 T4, G. Villeneuve

Zolder (B) 1980, 312 T5 V12

▼ Long Beach (USAW) 1981, 126CK V6-Turbo

▼ Long Beach (USAW) 1981, 126CK V6-Turbo

▼ Monaco 1983, 126C3-Turb

Technology, Design

Imola (RSM) 1984, 126C4-Turbo

Zeltweg (A) 1984, 126C4-Turbo

▼ Brands Hatch (GB) 1986, F1-86-Turbo   Monza (I) 1986, F1-86-Turbo

Imola (RSM) 1987, F1-87-Turbo

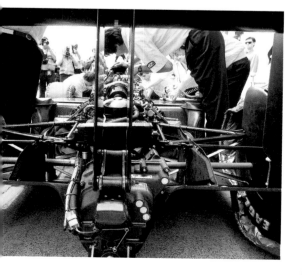

Techniek, Design

Monaco 1991, 642 V12

Monaco 1991, 642 V12

Monaco 1991, 642 V12 ▼ Monaco 1991, 642 V12

Monaco 1992, F92 A

Monaco 1992, F92 A

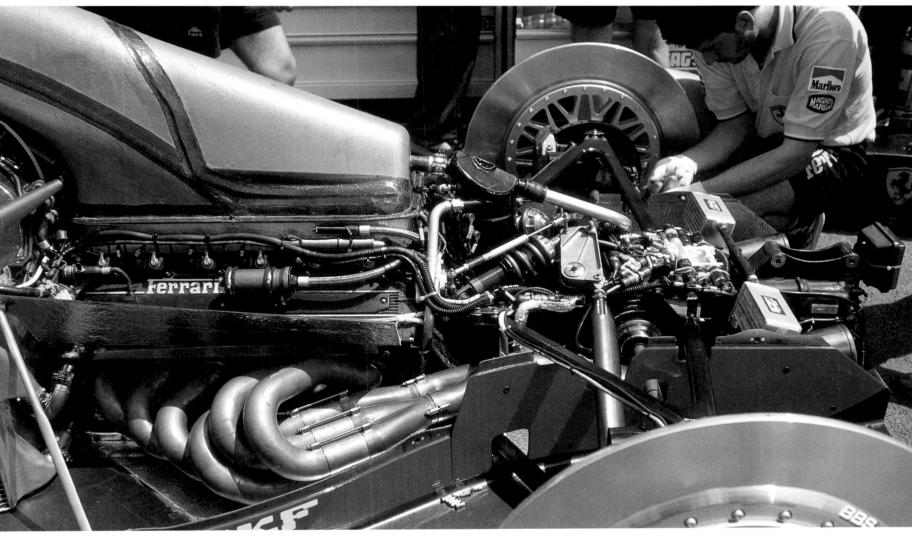

Monaco 1992, F92 A

▼ Monaco 1993, F93 V12

▼ Monaco 1993, F93 V12, active suspension

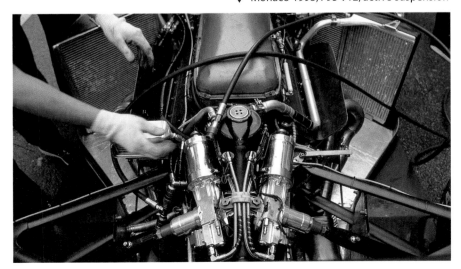

Monaco 1995, 412 T2 V12

Monaco 1995, 412 T2 V12

Monaco 1995, 412 T2

Monaco 1996, F310 V10 ▼ Monaco 1997, F310 B   ▼ Spa-Francorchamps (B) 1997, F310 B   ▼ Montreal (CDN) 1997, F310

Monaco 1998, F300 V10, gear box with rear axle

Hockenheim (D) 1998, fuel tank

Monaco 1999, F399 V10

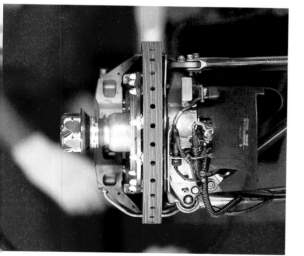

Barcelona (E) 2000, F1-2000 ▼ Monaco 2000, F1-2000

▼ A1-Ring (A) 2000, F1-2000 V10

Techniek, Design

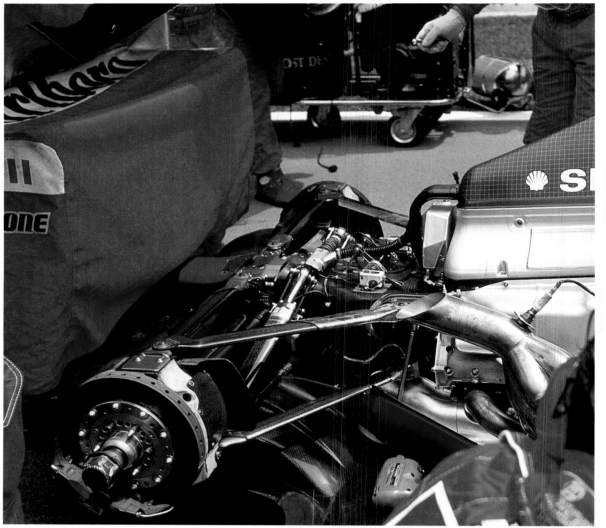

Sepang (MAL) 2001, F2001

Nürburgring (EU) 2001, F2001

▼ Barcelona (E) 2001, F2001

Hockenheim (D) 2001

▼ Barcelona (E) 2003, F2003-GA   Monaco 2002, F2002 V10   ▼ Sepang (MAL) 2003, F2003-GA

▼ Monaco 2003, F2003-GA V10

1963-2003

Monaco 1976, M23, J. Hunt

Monaco 1978, M26, P. Tambay

Monaco 1980, M29, J. Watson

Monaco 1985, MP4/2B, A. Prost

Monaco 1986, MP4/2C, K. Rosberg

Monaco 1987, MP4/3, S. Johansson

Monaco 1991, MP4/6, G. Berger

Monaco 1992, MP4/7A, G. Berger

Monaco 1993, MP4/8, A. Senna

Monaco 1998, MP4/13, M. Häkkinen

Monaco 1999, MP4/14, M. Häkkinen

Monaco 2000, MP4/15, D. Coulthard

McLaren

Monaco 1981, MP4, J. Watson

Monaco 1983, MP4/1C, N. Lauda

Monaco 1984, MP4/2, A. Prost

Monaco 1988, MP4/4, A. Senna

Monaco 1989, MP4/5, A. Senna

Monaco 1990, MP4/5B, A. Senna

Monaco 1995, MP4/10B, M. Blundell

Monaco 1996, MP4/11, M. Häkkinen

Monaco 1997, MP4/12, M. Häkkinen

Monaco 2001, MP4/16, M. Häkkinen

Monaco 2002, MP4/17, D. Coulthard

Monaco 2003, MP4/17D, K. Räikkönen

n the curriculum vitae of the McLaren racing stable three phases can be distinguished. It all began with the marque's foundation on 2 September 1963, by New-Zealander Bruce McLaren. It was authenticated, as it were, five years later by the first and only victory of he young entrepreneur in his own car at Spa. On 2 June 1970, he was killed testing one of his orange CanAm vehicles at Goodwood, leaving behind his widow Patricia, his little daughter Amanda, his firm, his good name and a vision. In the decade after his early death, companions like Teddy Mayer looked after his heritage, reaping the first impressive rewards. They soared skywards after McLaren had been taken over by Ron Dennis in the autumn of 980. He was ably assisted by his then constructor John Barnard, whose developable McLaren MP4 concept was to rule the roost for a long time. Dennis established McLaren n Formula 1 as one of the all-time great teams, second only to Ferrari with 137 wins in 59 grands prix, eight constructors' and eleven drivers' championships.

De vita van McLaren bestaat heel duidelijk uit drie fasen. Ze begint op 2 september 1963 met de oprichting door de jonge Nieuw-Zeelandse ondernemer Bruce McLaren, die vijf jaar later door hemzelf wordt bekrachtigd met zijn eerste en enige zege, in Spa en met een eigen wagen. Op 2 juni 1970 komt hij in Goodwood om het leven bij een testrit met een CanAm-wagen. Hij laat zijn vrouw Patricia, dochter Amanda, een firma, een goede reputatie en een visie achter. In het decennium na zijn vroege dood houden strijdmakkers zoals Teddy Mayer zich bezig met zijn nalatenschap. Uit deze tijd stammen de eerste grote successen. Alles gaat pas echt goed na de overname van het team door Ron Dennis in het najaar van 1980. Deze verzekert zich van de steun van de geestverwante constructeur John Barnard, wiens concept McLaren MP4 lange tijd voor alles en iedereen de maatstaf is. Dennis maakt van McLaren de tweede macht na Ferrari, met 137 zeges in 559 Grand Prix-races, acht constructeurstitels en elf coureurstitels.

Monaco 1966, M2B-Ford V8

Monaco 1966, M2B-Ford V8 ▼ Spa-Francorchamps (B) 1966, M2B-Serenissima V

Monza (I) 1967, M5A-BRM V12   ▼ Monza (I) 1967, M5A   ▼ Monaco 1967, M4B-BRM V8

◀ Clermont-Ferrand (F) 1972, M19C, M19A in the background

Long Beach (USAW) 1977, M23-Cosworth V8   ▼ Silverstone (GB) 1977, M26   ▼ Brands Hatch (GB) 1978, M26   ▼ Hockenheim (D) 1979, M29-Cosworth V8

Techniek, Design

Zandvoort (NL) 1983, MP4/1E

Zandvoort (NL) 1983, MP4/1E TAG V6-Turbo

▼ Imola (RSM) 1986, MP4/2C-TAG-Porsche V6-Turbo

Zandvoort (NL) 1983, MP4/1E ▼ Imola (RSM) 1984, MP4/2

▼ Monaco 1987, MP4/3-TAG-Porsche V6-Turbo

Monaco 1988, MP4/4-Honda V6-Turbo

▼ Hungaroring (H), MP4/5B-Honda V1

Jerez (E) 1989

▼ Jerez (E) 1989, MP4/5

Iverstone (GB) 1991, MP4/6

Silverstone (GB) 1991, Honda V12

Silverstone (GB) 1991, MP4/6-Honda V12

onaco 1991,MP4/6-Honda V12 ▼ Monaco 1991, MP4/6   ▼ Magny-Cours (F) 1991, G. Berger   ▼ Monaco 1991

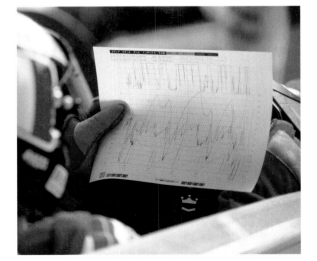

Techniek, Design

Hungaroring (H) 1992, MP4/7A

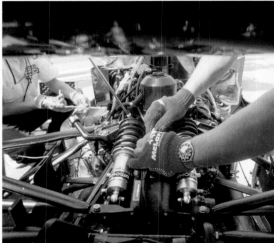

Monaco 1992, MP4/7A-Honda V12

▼ Monaco 1992, MP4/7A-Honda V12

Hungaroring (H) 1992, MP4/7A

Monaco 1992, MP4/7A

▼ Magny-Cours (F) 1991

onaco 1993, MP4/8

onaco 1993, MP4/8

Kyalami (ZA) 1993, MP4/8-Cosworth V8

▼ Aida (J) 1994, MP4/9-Peugeot V10

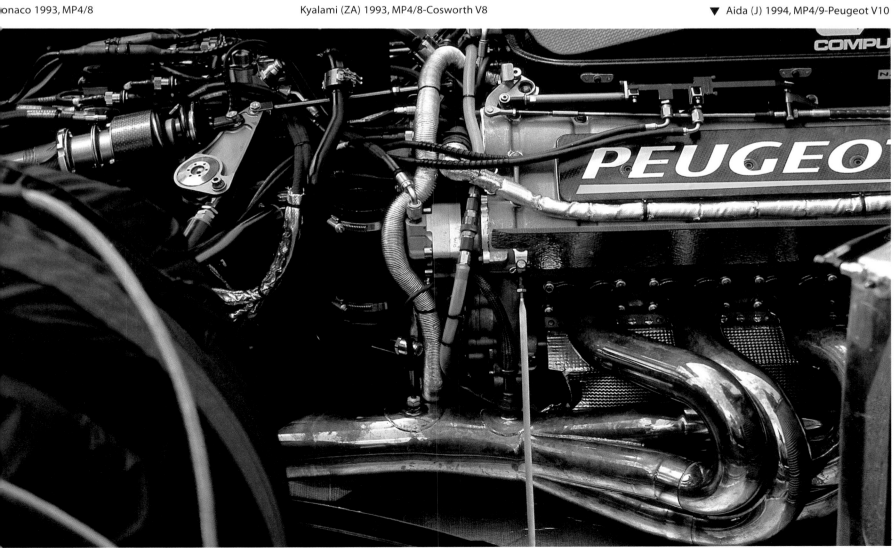

Estoril (P) 1996, MP4/11B   Monaco 1995, MP4/10B-Mercedes V10   Monaco 1998, MP4/13-Mercedes V1

Monaco 1996, MP4/11B-Mercedes V10

pang (MAL) 2000

▼ Monaco 2002, MP4/17-Mercedes V10

▼ Hungaroring (H) 2002, MP4/17

▼ Magny-Cours (F) 2003

1977-2003

Monaco 1978, FW06, A. Jones

Monaco 1980, FW07B, A. Jones

Monaco 1981, FW07C, C. Reutemann

Monaco 1985, FW10, N. Mansell

Monaco 1986, FW11, N. Mansell

Monaco 1987, FW11B, N. Piquet

Monaco 1991, FW14, R. Patrese

Monaco 1992, FW 14B, N. Mansell

Monaco 1993, FW 15C, A. Prost

Monaco 1998, FW20, J. Villeneuve

Monaco 1999, FW21, A. Zanardi

Monaco 2000, FW22, R. Schumacher

Williams

Technology, Design

Monaco 1982, FW08, K. Rosberg

Monaco 1983, FW08C, K. Rosberg

Monaco 1984, FW09, K. Rosberg

Monaco 1988, FW12, R. Patrese

Monaco 1989, FW12C, R. Patrese

Monaco 1990, FW13B, R. Patrese

Monaco 1994, FW16, D. Hill

Monaco 1996, FW18, D. Hill

Monaco 1997, FW19, H.-H. Frentzen

Monaco 2001, FW23, J. P. Montoya

Monaco 2002, FW24, R. Schumacher

Monaco 2003, FW25, J. P. Montoya

Frank Williams is said to have sometimes run his team from a telephone booth before its real success story began in 1977, when Williams Grand Prix Engineering was set up in Didcot, Oxfordshire. All of a sudden, there were sufficient revenues from Arabian sources. The FW06 – the code standing for Frank Williams opus 6 – made its debut in Argentina in 1978. In 1979, the operation scored its first victory at Silverstone, with Clay Regazzoni driving. Another 111 wins have followed so far. The last four were taken in 2003, in the BMW-Williams era that began in 2000, by Juan Pablo Montoya and Ralf Schumacher. Since 1986 Frank Williams has been confined to a wheelchair, caused by a serious accident in the South of France. The Grove outfit have claimed the constructors' crown nine times, and seven of its drivers have emerged as world champions: Alan Jones in 1980, Keke Rosberg in 1982, Nelson Piquet in 1987, Nigel Mansell in 1992, Alain Prost in 1993, Damon Hill in 1996 and Jacques Villeneuve a year later. But more important than that, says Williams, is the team and its work.

Na de tijd waarin Frank Williams zijn bedrijf schijnbaar vanuit een telefooncel leidt, begint het feitelijke succesverhaal in het Engelse Didcot in Oxfordshire met de oprichting van Williams Grand Prix Engineering in 1977. Ineens is er voldoende geld beschikbaar, afkomstig van Arabische sponsoren. De FW06 – de afkorting staat voor Frank Williams opus 6 – debuteert in 1978 in Argentinië. De eerste zege wordt in 1979 behaald, in Silverstone door Clay Regazzoni. Daarna volgen er nog 111, waarvan vier in 2003 voor het sinds 2000 bestaande team BMW-Williams, dankzij Juan Pablo Montoya en Ralf Schumacher. Negenmaal kan Williams, die sinds 1986 als gevolg van een zwaar ongeluk in Zuid-Frankrijk in een rolstoel zit, de constructeurstitel aan zijn vita toevoegen. Zeven coureurs worden onder zijn leiding wereldkampioen: in 1980 Alan Jones, in 1982 Keke Rosberg, in 1987 Nelson Piquet, in 1992 Nigel Mansell, in 1993 Alain Prost, in 1996 Damon Hill en in 1997 Jacques Villeneuve. Maar het belangrijkste, aldus Williams, zijn het team en zijn werk.

Long Beach (USAW) 1976, Wolf-Williams FW 05-Cosworth V8

Monaco 1982, FW08-Cosworth V8 ▼ Long Beach (USAW) 1980, FW07B-Cosworth V8

Brands Hatch (GB) 1984, FW09B

▼ Brands Hatch (GB) 1984, FW09B-Honda V6-Turbo   Monaco 1984, FW09-Honda V6-Turbo

▼ Silverstone (GB) 1985 FW10-Honda V6-Turbo

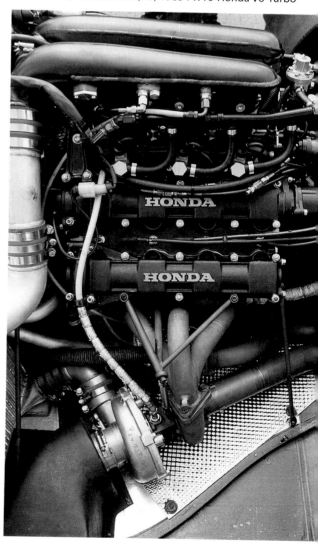

Techniek, Design

Hockenheim (D) 1987, FW11B-Honda V6-Turbo

Hungaroring (H) 1992, FW14B, hydraulics for active wheel suspension

Hungaroring (H) 1992, FW14B

▼ Monaco 1993, FW15C-Renault V10

▼ Monaco 1993, FW15C, hydraulics for active wheel suspension

▼ Hockenheim (D) 1993, FW15C

Technology, Design

Silverstone (GB) 1991, FW14

▼ Monaco 1995, Renault V10

▼ Monaco 1995, FW17, gear box and drive shafts

Magny-Cours (F) 1999, FW21

▼ Monaco 1999, FW21-Supertec V10

Monaco 1999, FW21 steering wheel

Monaco 2000, FW22-BMW V10 ▶

▼ Monaco 2000, FW22 steering wheel

▼ Monaco 2001

▼ Monaco 2001, FW23

Monaco 2002, FW24-BMW V10

▼ Monaco 2002, FW24

▼ Silverstone (GB) 2002, BMW V1

▼ Silverstone (GB) 2002, radiato

Technology, Design

Imola (RSM) 2003, FW25

▼ Sepang (MAL) 2003, FW25

Techniek, Design

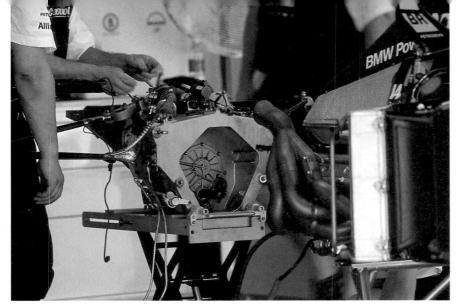

Sepang (MAL) 2003, FW25, gear box

Monaco 2003, FW25, drive shaft

▼ Monaco 2003, FW25-BMW V10

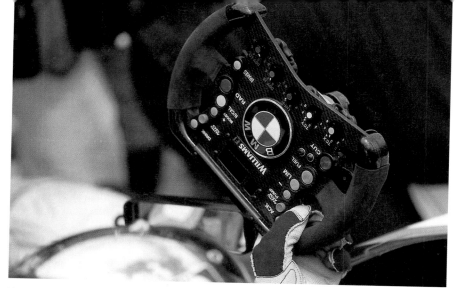

Magny-Cours (F) 2003, FW25, Montoya's steering wheel

Nürburgring (EU) 2003

1950/51, 1979-85

Monaco 1980, 179, B. Giacomelli

Monaco 1981, 179C, B. Giacomelli

Monaco 1982, 182, B. Giacomelli

Monaco 1983, 183T, A. de Cesaris

Monaco 1984, 184T, E. Cheever

Monaco 1985, 184T, E. Cheever

Monaco 1982, 182 V12

The Alfettas which served Romeo drivers Dr. Nino Farina and Juan Manuel Fangio to secure their world titles in years one and two of Formula 1 history were essentially proven pre-war products, the 1951 Tipo 159 being based on a construction that was almost 15 years old. Between 1976 and 1979 the Milan marque provided the Brabham team with V12 units from their successful sportscars, via their Autodelta racing branch, and then ventured upon their own comeback. But the glory of their early years could not be rekindled. 50 championship points between 1980 and 1985, two poles and one fastest lap were poor reward for huge effort, which culminated in two second places taken by Andrea de Cesaris in 1983 in the Tipo 183T (for turbo).

De Alfetta waarmee de Alfa-Romeo-coureurs Dr. Nino Farina en Juan Manuel Fangio in de beginjaren van de Formule 1 hun titels behalen, is in feite een vooroorlogs product. De Tipo 159 uit 1951 was namelijk een 15 jaar oude constructie. Nadat de beide Milanezen tussen 1976 en 1979 via hun filiaal Autodelta Brabham van twaalfcilindermotoren uit hun sportwagens hebben voorzien, proberen ze een comeback te maken. Maar de gloriedagen van weleer keren niet terug. Tussen 1980 en 1985 oogsten ze luttele 50 WK-punten, twee pole positions en één snelste ronde. De weinige hoogtepunten zijn enkele tweede plaatsen door Andrea de Cesaris in 1983 in een 183T (turbo).

Alfa Romeo

Long Beach (USAW) 1980, 179

Monaco 1981, 179C V12

 Silverstone (GB) 1983, 183T V8-Turbo

Brands Hatch (GB) 1980, 179 V12

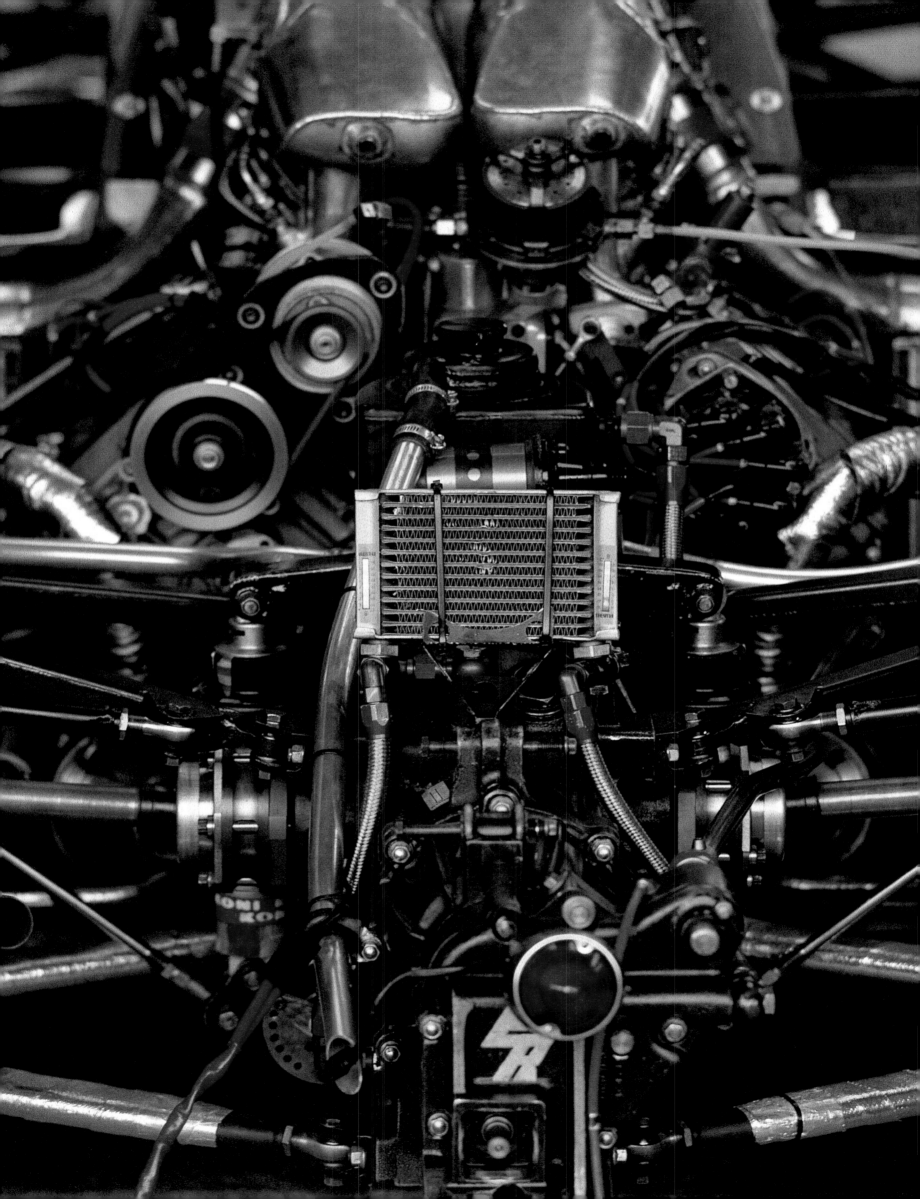

Hockenheim (D) 1984, 184T V8-Turbo ▼ Brands Hatch (GB) 1984, 184T V8-Turbo   Spa-Francorchamps (B) 1984, 184T V8-Turbo ▼ Silverstone (GB) 1985, 185T V8-Turbo

1977-2002

Monaco 1978, FA1, R. Patrese

Monaco 1980, A3, J. Mass

Monaco 1981, A3, R. Patrese

Monaco 1985, A8, G. Berger

Monaco 1989, A10, D. Warwick

Monaco 1992, FA13, M. Alboreto

Monaco 1996, FA17, R. Rosset

Monaco 1997, A18, D. Hill

Monaco 1998, A19, P. Diniz

Monaco 1999, A20, T. Takagi

Monaco 2000, A21, J. Verstappen

Monaco 2002, A23, E. Bernoldi

The Arrows Racing Team was called into being in Milton Keynes in 1977, occupying a Formula 1 paddock plot for the first time in Brazil's Jacarepagua in 1978. Its five founding fathers were Franco Ambrosio (A), Alan Rees (R), Jackie Oliver (O), Dave Wass (W) and Tony Southgate (S) – there was no equivalent to the second R in the realms of its staff. That turned out to be not the only problem because the history of the team, which sailed under the name of Footwork between 1991 and 1996, was 382 grands prix long, whereas the list of its successes was short. In 1997, Damon Hill narrowly missed a long overdue victory at Budapest, and in the middle of the 2002 season, the squad literally ran out of money.

Het Arrows Racing Team wordt in 1977 in Milton Keynes geboren en betreedt in 1978 in het Braziliaanse Jacarepagua voor het eerst een Grand Prix-arena. De vijf oprichters zijn Franco Ambrosio (A), Alan Rees (R), Jackie Oliver (O), Dave Wass (W) en Tony Southgate (S) met nog een geleende R tezamen de naam 'Arrows' vormend. De geschiedenis van de renstal, die tussen 1991 en 1996 de naam Footwork draagt, is 382 Grand Prix-races lang, maar veel successen kunnen niet worden vermeld. In 1997 loopt Damon Hill in Boedapest een verdiende zege net mis. In 2002 moet het team wegens geldgebrek worden opgedoekt.

Arrows

Dijon (F) 1979, A2-Ford V8

▼ Le Castellet (F) 1985, A8-BMW R4-Turbo

▼ Zeltweg (A) 1984, A7

▼ Zeltweg (A) 1984, A7

Zeltweg (A) 1987, A10-Megatron R4-Turbo

▼ Monaco 1991, FA12-Porsche V12

▼ Monaco 1993, FA14-Mugen Honda V10

▼ Monaco 1994, FA15-Ford HB V8

Technology, Design

Silverstone (GB) 1996, FA17-Hart V8

San Marino (RSM) 1999, A20

Monaco 2001, A22-Asiatech V10

▼ San Marino (RSM) 2002, A23-Cosworth V10

1977-1984

Monaco 1978, HS1, J. Mass

Monaco 1979, D2, H. J. Stuck

Monaco 1980, D4, J. Lammers

Monaco 1982, D5, M. Winkelhock

Monaco 1983, D6, M. Winkelhock

Monaco 1984, D7, M. Winkelhock

Spa-Francorchamps (B) 1977, Penske PC4-Cosworth V8q

Strangely, the ATS abbreviation stood for two Formula 1 teams of the past, the Italian Scuderia Automobili Turismo e Sport as well as the Auto Teile Spezial racing stable of German wheel manufacturer Günther Schmid. Their lots were amazingly similar: the older ATS squad survived for just five grands prix in 1963 before it fell apart, while its namesake collected a meagre nine points in 99 races between 1977 and 1984. In 1976, Schmid bought the cars which had been put on the market when the Penske team withdrew from grand prix racing, and re-liveried them. One reason for the lasting drought was the perpetual ructions, with constructors, team managers and drivers, even top-flight ones like Keke Rosberg and Gerhard Berger, only staying for a short spell of time.

Curieus: achter de afkorting ATS gaan in de Formule 1 twee teams schuil, het Italiaanse Scuderia Automobili Turismo e Sport en de renstal Auto Technisches Zubehör van de Duitse velgenfabrikant Günther Schmid. Hoezeer gelijk zijn ook hun geschiedenissen – ATS (de eerste) handhaaft zich in 1963 slechts een half seizoen en vijf Grand Prix-races eer het alweer sterft; ATS (de tweede) sprokkelt in 99 races tussen 1977 en 1984 negen punten bij elkaar. Het wagenpark is afkomstig uit de erfenis van het in 1976 verbleekte Penske-team. Reden voor de zwakke prestaties zijn de voortdurende ruzies. Constructeurs, teamchefs en coureurs, onder wie de briljante Keke Rosberg en Gerhard Berger, komen en gaan.

ATS

Castellet 1980, D4-Cosworth V8

Hockenheim (D) 1980, D4-Cosworth V8

San Marino (RSM) 1980, D4, M. Surer

Long Beach (USAW) 1981, D4

▼ Dijon (F) 1984, D7-BMW4

Long Beach (USAW) 1981, D4-Cosworth V8

Dijon (F) 1984, D7-BMW4   ▼ Monza (I) 1984, D7-BMW

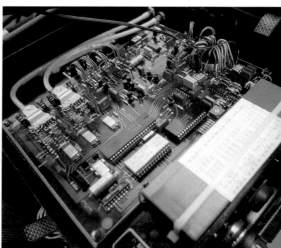

Technology, Design

Monaco 1988, ARC1-Cosworth V8

Monaco 1988, ARC1, A. de Cesaris

Monaco 1989, ARC2, C. Danner

Rio de Janeiro (BR) 1988, ARC1-Cosworth V8

In 1988, Günther Schmid, the owner of the late ATS team, reported back to Formula 1. The name of his new squad was Rial, as Schmid had meanwhile sold his shares in the wheel manufacturer ATS and bought their rival Rial. His then designer Gustav Brunner, who had been working for Ferrari, built for him the Rial Cosworth ARC1 which was soon ironically dubbed "the little blue Ferrari" by the racing fraternity because of certain striking similarities. Soon afterwards, Brunner moved from the Rial garrison Fußgönheim to the Zakspeed base Niederzissen 150 kilometres northwards. In Detroit, Andrea de Cesaris was fourth with the car he had created – like Rial driver Christian Danner at Phoenix in 1989. But that was it.

In 1988 meldt Günther Schmid zich terug in de Formule 1 met de renstal Rial. De eigenaar van het in 1984 opgedoekte ATS-team heeft al zijn aandelen in de velgenfabriek ATS verkocht en het concurrentiemerk Rial opgekocht. Zijn designer Gustav Brunner, die tussendoor werkzaam was voor Ferrari, bouwt voor hem de Rial-Cosworth ARC1. De wagen wordt vanwege een paar opvallende gelijkenissen met de beroemde rode Italiaan spottend 'de kleine blauwe Ferrari' gedoopt. Kort daarop verkast Brunner van het Rial-team in Fußgönheim naar Zakspeed in Niederzissen. Andrea de Cesaris wordt in Detroit met een ARC 1 vierde, net als Rial-coureur Christian Danner in 1989 in Phoenix. Maar daar blijft het bij.

Rial

Techniek, Design

1999-2003

Monaco 1999, 01, J. Villeneuve

Monaco 2002, 004, J. Villeneuve

Monaco 2003, 005, J. Button

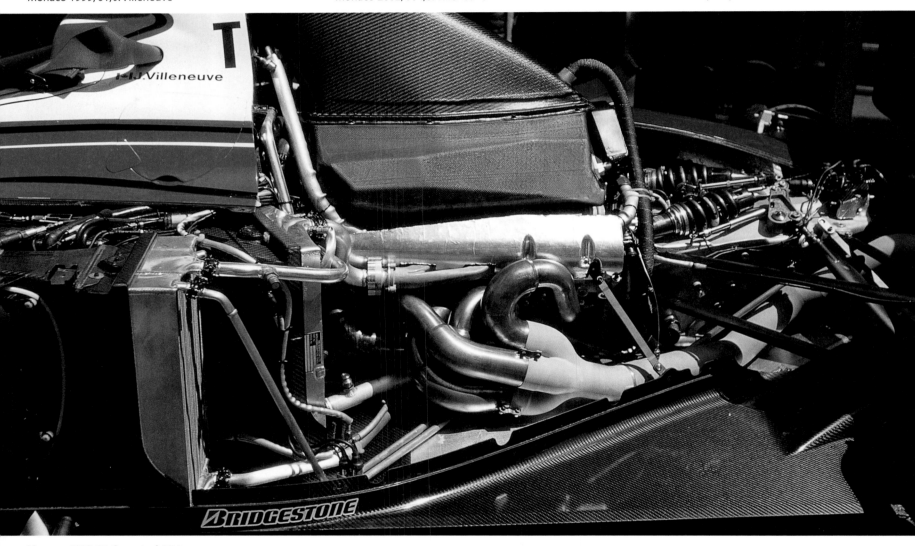

Monaco 1999, 01-Supertech V10

At the beginning, the inconspicuous abbreviation BAR (for British American Racing) seemed to be synonymous with a modern fairy tale. It began with the purchase of the time-honoured Tyrrell team on 25 November 1997. The boss was Scottish-born Craig Pollock. In 1998 he engaged Jacques Villeneuve and Ricardo Zonta. On 6 January 1999 the ultra-modern BAR factory was opened in Bracknell. But the season turned into disaster, although the team managed to secure fifth place in the constructors' standings in 2000, with Honda engines. In 2001 Pollock was fired. Even with new management under David Richards, and Villeneuve as a constant beside Olivier Panis (2002) and Jenson Button (2003), things have not improved.

Aanvankelijk lijkt de onopvallende afkorting BAR (British American Racing) synoniem t zijn met een hightechsprookje. Het begint met de aankoop van het eerwaardige Tyrrell-tear op 25 november 1997. De Schotse teamchef Schot Craig Pollock haalt in 1998 Jacque Villeneuve en Ricardo Zonta naar het team. Ondanks dat op 6 januari 1999 in Bracknell d ultramoderne nieuwe BAR-fabriek wordt geopend, eindigt het seizoen in een ramp. In 200 wordt met Honda-motoren nog de vijfde plaats in het constructeursklassement behaald Een jaar later wordt Pollock ontslagen maar ook onder het nieuwe management van Davi Richards en met Villeneuve als constant presterende coureur naast Olivier Panis (2002) er Jenson Button (2003) wordt het er niet echt beter op.

HONDA

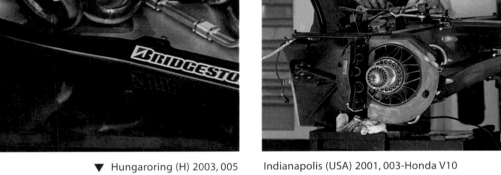

Hungaroring (H) 2001, 003-Honda V10

naco 2002, 004-Honda V10

▼ Hungaroring (H) 2003, 005

Indianapolis (USA) 2001, 003-Honda V10

ngaroring (H) 2003, 005   ▼ Hungaroring (H) 2003, 005

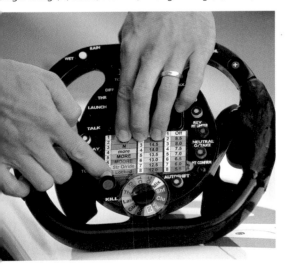

Techniek, Design

1986-2001

Monaco 1986, B186, G. Berger

Monaco 1987, B187, T. Fabi

Monaco 1989, B188, A. Nannini

Monaco 1991, B191, N. Piquet

Monaco 1992, B192, M. Brundle

Monaco 1993, B193, M. Schumacher

Monaco 1994, B194, M. Schumacher

Monaco 1995, B195, J. Herbert

Monaco 1996, B196, J. Alesi

Monaco 1998, B198, G. Fisichella

Monaco 1999, B199, G. Fisichella

Monaco 2001, B201, J. Button

Three names, three identities: Né Toleman, the squad changed into Renault in 2002. From 1986 onwards, the cars built by the capable constructor Rory Byrne were painted in the motley motif of the 'United Colors of Benetton', and have featured a particularly high nose since 1991. The trend, initiated by Tyrrell, was soon to be imitated by many others. There used to be something special about the team's victories: the one in Mexico in 1986 being Gerhard Berger's first and in Japan in 1989 Sandro Nannini's only win, the 1990 firsts in Japan and Australia and the 1991 success in Canada, Nelson Piquet's last. The 1995 constructors' title and most of the 16 poles and 27 first places in 260 grands prix were to the merit of Michael Schumacher.

Drie namen, drie identiteiten: geboren als Toleman heet de renstal tegenwoordig Renault. Sinds 1986 rijden de bolides van de bekwame constructeur Rory Byrne in het bonte jasje van United Colors of Benetton. De zeges van Benetton hebben steeds een bijzonder tintje: die van Gerhard Berger in 1986 in Mexico is zijn eerste, die van Sandro Nannini in 1989 in Japan zijn enige en de zeges in Japan en Australië in 1990 en die in Canada in 1991 zijn Nelson Piquets laatste. De constructeurstitel in 1995 en de meeste van de 16 pole positions en 27 eerste plaatsen in 260 races zijn te danken aan Michael Schumacher. In 1994 maakte Jos Verstappen een geslaagd Formule 1-debuut bij Benetton: twee derde plaatsen in Hongarije en Spa en tiende in het eindklassement.

Benetton

ungaroring (H) 1986, B186

San Marino (RSM) 1986, B186-BMW 4

Silverstone (GB) 1986, B186

Iverstone (GB) 1986, B186-BMW 4-Turbo   ▼ Silverstone (GB) 1986, B186-BMW 4-Turbo   ▼ Hungaroring (H) 1986, B186-BMW 4-Turbo   ▼ Monza (I) 1987, B187-Cosworth V6-Turbo

Hockenheim (D) 1988, B188

Monaco 1989, B189-Ford V8

Monza (I) 1992

São Paulo (BR) 1990, B190-Ford V8   ▼ Kyalami (ZA) 1992   ▼ Monaco 1991, B191-Ford HB

Technology, Design

São Paulo (BR) 1994, B194-Ford Zetec-R V8

Barcelona (E) 1993, B193B-Ford HB V8

▼ São Paulo (BR) 1995, B195-Renault V10   Monaco 1992, B192-Ford HB V8

Monaco 1995, B195-Renault V10

Techniek, Design

1962-1992

Monaco 1975, BT44B, C. Pace

Monaco 1976, BT45, C. Pace

Monaco 1978, BT46, N. Lauda

Monaco 1979, BT48, N. Piquet

Monaco 1980, BT49, N. Piquet

Monaco 1981, BT49C, N. Piquet

Monaco 1982, BT50, N. Piquet

Monaco 1983, BT52 N. Piquet

Monaco 1986, BT55, E. de Angelis

Monaco 1987, BT56, R. Patrese

Monaco 1989, BT58, M. Brundle

Monaco 1991, BT60Y, M. Brundle

At the end of 1961, Australian Jack Brabham left Cooper to drive henceforth the cars bearing his own name, the first time being at the Nürburgring in 1962. At Rouen in 1964, Dan Gurney claimed the first of a total of 35 victories for the outfit, and in the maiden year of the three-litre formula the world champion's name was Jack Brabham, driving a Brabham. Owing to their tank-like reliability, his cars also took their first Coupe des Constructeurs. In 1970, "Black Jack" retired. Two years later, Bernie Ecclestone bought the fatherless racing stable from its interim owner and constructor Ron Tauranac, guiding it to new heights with Nelson Piquet's two titles in 1981 and '83, which was followed by a downhill phase until the team closed its doors in 1992.

Aan het einde van 1961 verlaat de Australiër Jack Brabham Cooper en rijdt vanaf da moment onder zijn eigen naam, voor het eerst in 1962 op de Nürburgring. De eerste van in totaal 35 teamzeges is voor Dan Gurney in 1964 in Rouen. In het eerste jaar van de drie literformule in 1966 wordt Jack Brabham met een Brabham-Repco zelfs kampioen. De immense betrouwbaarheid van zijn auto's levert het team ook de eerste constructeurstite op. In 1970 gaat 'Black Jack' met pensioen. Twee jaar later neemt legt Bernie Ecclestone d verweesde renstal over van constructeur Ron Tauranac en leidt die met titels voor Nelso Piquet in 1981 en 1983 nog een maal tot grote hoogten. Vanaf dat moment gaat he geleidelijk bergaf.

Brabham

onaco 1967, BT19-Repco V8

Spa-Francorchamps (B) 1967, BT24-Repco V8

Spa-Francorchamps (B) 1968, BT26

onaco 1969, BT26A-Cosworth V8 ▼ Monza (I) 1970, BT33-Cosworth V8 ▼ Zolder (B) 1973, BT42 ▼ Monza (I) 1979, BT48-Alfa Romeo V12

Zandvoort (NL) 1983, BT52B ▼ Le Castellet (F) 1983, BT52-BMW R4-Turbo

Zandvoort (NL) 1982, BT50-BMW R4-Turbo ▼ Le Castellet (F) 1983, BT52-BMW R4-Turbo

Brands Hatch (GB) 1984, BT53

Zandvoort (NL) 1984, BT53-BMW R4-Turbo

Brands Hatch (GB) 1984, BT53-BMW R4-Turbo

Zeltweg (A) 1984, BT53

▼ Silverstone (GB) 1985, BT54-BMW R4-Turbo

▼ Imola (RSM) 1986, BT55-BMW R4-Turbo

1951-1977

Zandvoort (NL) 1965, P261 V8 1.5 liters

BRM was founded in 1947 by Raymond Mays, who gave the outfit a strong patriotic hue. Soon afterwards, the industrialist Walter Owen began to look after it, its official designation now being Owen Racing Organisation, but everybody preferred the much more wieldy abbreviation BRM. At Zandvoort in 1959, Swede Joakim Bonnier snatched the first victory for the team in its last rear-engined model. The 1962 season was the climax for British Racing Motors, with Graham Hill claiming his first championship in the slender P57 projectile. In doing so, he contributed his fair share to BRM's only constructors' title. The Bourne-based équipe bowed out of the winners' circle with Jean-Pierre Beltoise's victory in a very wet Monaco in 1972.

BRM wordt in 1947 door Raymond Mays opgericht, een ploeg met een nationale bezetting. Kort daarop neemt de industrieel Alfred Owen het team over. De officiële naam is vanaf dan Owen Racing Organisation, maar gebruikelijker blijft de afkorting BRM. In 1959 in Zandvoort behaalt de Zweed Joakim Bonnier de eerste zege voor de renstal in de nieuwe P25 met de motor voorin. In 1962 bereikt British Racing Motors zijn hoogtepunt met de wereldtitel van Graham Hill in een slanke P57. Hij draagt daarmee ook sterk bij aan de enige constructeurstitel van BRM. Met de zege van Jean-Pierre Beltoise in 1972 in Monaco neemt het team afscheid van het selecte kringetje van de beste renstallen.

Spa-Francorchamps (B) 1964, P261 V8 1.5 liters

Spa-Francorchamps (B) 1966, P261 V8 2.0 liters

Monza (I) 1969, P139 ▼ Monza (I) 1969, P139 V12 3.0 liters ▼ Monza (I) 1969, P139 V12 3.0 liters

2000-2003

Monaco 2000, R1, E. Irvine

Monaco 2001, R2, E. Irvine

Monaco 2003, R4, M. Webber

Monaco 2000

Monaco 2000, R1 Cosworth V10

Monaco 2000, R1-Cosworth, gear box

Montreal (CND) 2000, R1

Jac Nasser, Ford boss between 1999 and 2001, was a believer in Formula 1 as the ultimate marketing medium but wanted to join the fray with a dyed-in-the-wool works team. In June 1999 Ford purchased Stewart Grand Prix, restructured it under the name of its premium marque Jaguar and changed its livery to traditional British Racing Green. Its 2000 driver pairing was Eddie Irvine and Johnny Herbert. But the Big Cat limped, and perpetual reshuffles did nothing for the continuity required. At the end of 2002, the responsibility for the team was entrusted to Tony Purnell. With talented Australian driver Mark Webber, things have been looking up since then, while number two Antonio Pizzonia was replaced by Briton Justin Wilson at Hockenheim.

Jac Nasser, Ford-baas sinds 1999, mikt op de Formule 1 en wil een complete renstal in de ring sturen. In juni 1999 ontstaat Ford Stewart Grand Prix dat het wagenpark van de Schotse kampioen onder de naam van Fords prestigemerk Jaguar laat rijden, in de historische kleur van het British Racing Green. De coureurs in 2000 zijn Eddie Irvine en Johnny Herbert. Maar de grote kat hinkt. Bovendien zijn de aanhoudende veranderingen in de bezetting weinig bevorderlijk. Verantwoordelijk voor het team vanaf einde 2002 is Tony Purnell. Dankzij het Australische supertalent Mark Webber gaat het sindsdien bergopwaarts, terwijl de tweede coureur Antonio Pizzonia na Hockenheim plaats moest maken voor de Brit Justin Wilson.

Jaguar

ockenheim (D) 2001, R2-Cosworth V10

Silverstone (GB) 2001, R2-Cosworth V10

ockenheim (D) 2001, R2-Cosworth V10   ▼ Hungaroring (H) 2003, R4   ▼ Monaco 2003, R4-Cosworth V10

Techniek, Design

1991-2003

Monaco 1991, 191, B. Gachot

Monaco 1992, 192, S. Modena

Monaco 1994, 194, A. de Cesaris

Monaco 1995, 195, E. Irvine

Monaco 1996, 196, R. Barrichello

Monaco 1997, 197, R. Schumacher

Monaco 1998, 198, D. Hill

Monaco 1999, 199, H.-H. Frentzen

Monaco 2000, EJ10, H.-H. Frentzen

Monaco 2001, EJ11, H.-H. Frentzen

Monaco 2002, EJ12, G. Fisichella

Monaco 2003, EJ13, G. Fisichella

Since 1991, Eddie Jordan has added a lot of colour to the grand prix scene, literally: the rich green of his native Ireland in the beginning or later the glaring yellow of his sponsor Benson & Hedges. If the laws of the host country rule out cigarette advertising, that logo is simply converted to Buzzing Hornets or, by means of clever abbreviation, to the invitation to speed "Be on edge". But the merry and relaxed image of his outfit barely disguises ambition and single-minded resolution. Otherwise it would have failed to score the three grand prix victories at Spa in 1998 and at Magny-Cours and Monza in 1999. Jordan considered them as a down payment for many more wins but in the new millennium a further instalment has not yet materialised.

Sinds 1991 zorgt Eddie Jordan letterlijk voor veel kleur in de Grand Prix met het harde groen van zijn geboorteland Ierland uit de begindagen of het felle geel van zijn sponsor Benson & Hedges. Wanneer een gastland sigarettenreclame verbiedt, wordt het logo snel veranderd in 'Buzzing Hornets' of wordt de naam ingekort tot het race-credo 'Be on edge'. Achter het frisse image verbergt zich evenwel eerzucht en keiharde vastberadenheid. Anders was hij er niet in geslaagd drie Grand Prix-zeges – in Spa in 1998 en in Magny-Cours en Monza in 1999 – te halen, die Jordan als een aanbetaling op veel meer succes beschouwt. Tot nog toe bleef een nieuwe termijnbetaling echter uit.

Jordan

Monaco 1991, 191

a-Francorchamps (B) 1991, 191

▼ São Paulo (BR) 1995, 195-Peugeot V10

Imola (RSM) 1991, 191-Ford V8

onaco 92, 192-Yamaha V12 ▼ Monaco 94, 194-Hart V10

Techniek, Design

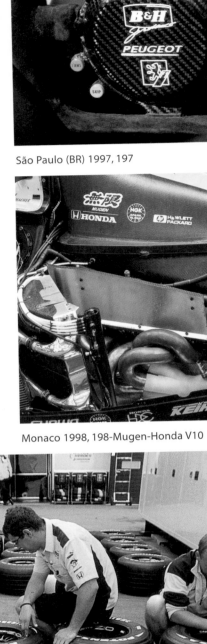

São Paulo (BR) 1997, 197

Hungaroring (H) 1996, 196-Peugeot V10

▼ Nürburgring (EU) 2001

Monaco 1998, 198-Mugen-Honda V10

Melbourne (AUS) 1999, 199 ▼ Barcelona (E) 1999, 199

312

ontreal (CND) 1991, 191

Silverstone (GB) 1995, 195

São Paulo (BR) 1997, 197

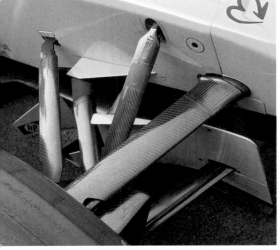

verstone (GB) 1999, 199

Imola (RSM) 2001, EJ11

Monza (I) 2002, EJ12　▼　Monaco 2003, EJ13-Cosworth V10

onza (I) 2002, EJ12　　　　　▼　Monza (I) 2002, EJ12

1976-1996

Monaco 1976, JS5, J. Laffite

Monaco 1977, JS7, J. Laffite

Monaco 1980, JS11/15, J. Laffite

Monaco 1982, JS19, J. Laffite

Monaco 1983, JS21, J.-P. Jarier

Monaco 1984, JS23, F. Hesnault

Monaco 1986, JS27, R. Arnoux

Monaco 1988, JS31, R. Arnoux

Monaco 1990, JS33B, P. Alliot

Monaco 1992, JS37, E. Comas

Monaco 1994, JS39B, O. Panis

Monaco 1996, JS43, O. Panis

With 326 grands prix in 21 years, Équipe Ligier was among the longest serving in the business. Its founder's origins were modest indeed: Guy Ligier began his working life as a butcher's assistant, later serving the Grande Nation well as a rugby player. His own racing career led up to Formula 1, but after the death of his friend Jo Schlesser at Rouen in 1968 he called it a day. He fashioned a memorial to Schlesser by including his initials in the designations of his racing cars from 1976 onwards. In 1977 Jacques Laffite snatched the team's first victory at Anderstorp in the Ligier JS7-Matra. There were seven more wins for the équipe scattered over the 1979-1981 seasons, followed by a wait until 1996 for its last one, at Monaco with Olivier Panis at the wheel.

Met 326 Grand Prix-races in 21 jaar telt Ligier tot de oudgedienden uit de branche. De start is bescheiden. Guy Ligier begint zijn carrière als slagersjongen maar wordt later bekend als rugbyspeler voor het Franse team. Een loopbaan als coureur voert hem ten slotte naar de Formule 1. Na de dood van zijn vriend Jo Schlesser in 1968 in Rouen heeft Ligier er genoeg van. Hij eert Schlesser door diens initialen voor de typeafkorting van zijn racewagen te gebruiken. In 1977 haalt Jacques Lafitte zijn eerste zege in Anderstorp met een Ligier JS7-Matra. Nog eens zeven overwinningen worden tussen 1979 en 1981 behaald. Voor de laatste zege van het team tekent Olivier Panis in Monaco in 1996.

Ligier

Long Beach (USAW) 1979, JS11-Cosworth V8   ▼ Imola (RSM) 1981, JS17   Zeltweg (A) 1981, JS17-Matra V12

▼ Monaco 1982, JS19-Matra V12

▼ Zeltweg (A) 1984, JS23-Renault V6-Turbo

▼ Brands Hatch (GB) 1986, JS27-Renault V6-Turbo

▼ Rio de Janeiro (BR) 1988, JS31-Judd V8

Hungaroring (H)1987, JS29C-Megatron R4-Turbo   Monaco 1990, JS33B-Cosworth V8   Phoenix (USA) 1991, JS35-Lamborghini V12

oenix (USA) 1991, JS35   ▼ Monaco 1992, JS37-Renault V10   ▼ Monaco 1996, JS43-Mugen-Honda V10

Monaco 1977, 78, M. Andretti

Monaco 1979, 80, M. Andretti

Monaco 1980, 81, M. Andretti

Monaco 1981, 87, N. Mansell

Monaco 1983, 93T, E. de Angelis

Monaco 1985, 97T, A. Senna

Monaco 1987, 99T, A. Senna

Monaco 1988, 100T, N. Piquet

Monaco 1990, 102, M. Donnelly

Monaco 1991, 102B, M. Häkkinen

Monaco 1992, 107, M. Häkkinen

Monaco 1994, 107C, P. Lamy

A name from the past since 1995, Lotus, with 491 races in 37 years, still holds third place in the list of the most frequent grand prix starts behind Ferrari and McLaren, as well as fourth in the overall standings, with 79 victories, 107 poles, 71 fastest laps and seven constructors' titles. The credit for its first successes went to Lotus customer Rob Walker and his lead-footed alter ego Stirling Moss, in Monaco and at Riverside in 1960 and in Monaco and later at the Nürburgring in 1961. 'Mister Lotus', the driving force behind the marque and super-brain of the grand prix fraternity, was Colin Chapman (1928-1982). It is to him that Formula 1 owed the monocoque (1962), the wedge shape (1970) and the wing car (1978). His successors had a hard time.

Met 491 Grand Prix-races in 37 jaar is de naam Lotus, sinds 1995 overigens tot het verlede behorend, een begrip in de Formule 1-analen. Het merk staat op de derde plaats van d eeuwige ranglijst van de meeste starts, na Ferrari en McLaren. Dankzij 79 zeges, 107 pol positions, 71 snelste ronden en zeven constructeurstitels staat het vierde in de lijst va de allerbeste. De eerste successen oogst Lotus-klant Rob Walker en gaspedaalgenie Stirlin Moss, in 1960 in Monaco en Riverside, en in 1961 nogmaals in Monaco en op de Nürburg ring. Mister Lotus, de wegbereider en man achter het merk is de actieve Colin Chapma (1928-1982). Hij schonk de Formule 1 de monocoque (1962) en de vleugelwagen (1978 Zijn opvolgers hebben het er maar zwaar mee.

Lotus

ürburgring (D) 1965, 33-Climax V8

Zandvoort (NL) 1967, 49-Cosworth V8

andvoort (NL) 1967, 49-Cosworth V8, J. Clark

▼ Zandvoort (NL) 1967, 49-Cosworth V8

Spa-Francorchamps (B) 1968, 49

Silverstone (GB) 1969, 63-Cosworth V8

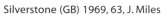

Silverstone (GB) 1969, 63, J. Miles

▼ Zandvoort (NL) 1969, 49B   Zandvoort (NL) 1969, 49B

Clermont Ferrand (F) 69, 49B   ▼ Silverstone (GB) 69, 49B

Clermont Ferrand (F) 1969, 49B

Monza (I) 1969, 49B-Cosworth V8

Monza (I) 1969, 49B-Cosworth V8

Clermont Ferrand (F) 1970, 72-Cosworth V8 ▼ Hockenheim (D) 1970, drivers' briefing ▼ Hockenheim (D) 1970, 49C ▼ Zandvoort (NL) 1971, 72D-Cosworth V8

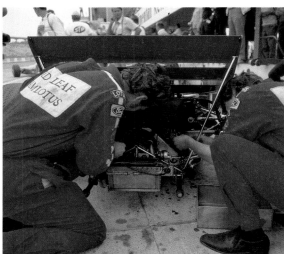

Monza (I) 1991, 56B-Pratt & Whitney turbine

▼ Monza (I) 1991, 56B-Pratt & Whitney turbine

▼ Monza (I) 1971, 56B, E. Fittipaldi

▼ Monza (I) 1971, 56B, E. Fittipaldi

Technology, Design

ckenheim (D) 1970, 72C, J. Rindt

onza (I) 1972, 72D, E. Fittipaldi

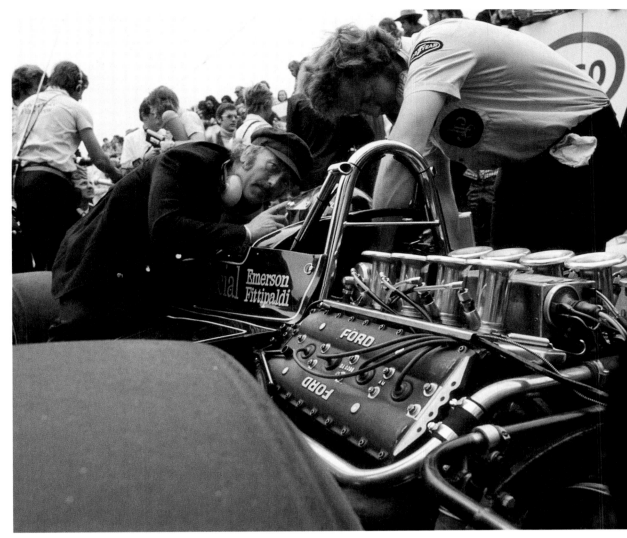
Zolder 1973, 72E-Cosworth V8  Zandvoort (NL) 1983, 94T-Renault V6-Turbo ▼ Long Beach (USAW) 1979, 79

▼ Monaco 1982, 91

Monza (I) 1972, 72D-Cosworth V8

Monaco 1985, 97T-Renault V6-Turbo

▼ Hungaroring (H) 1988, 100T-Honda V6-Turbo

Monaco 1985, 97T-Renault V6-Turb

Imola (RSM) 1987, 99T

▼ Imola (RSM) 1988, 100

Technology, Design

Le Castellet (F) 1989, 101-Judd V8

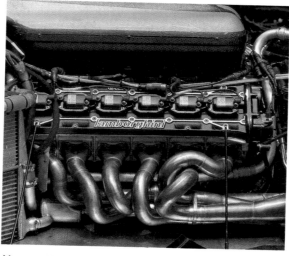

Monaco 1990, 102-Lamborghini V12

Monaco 1991, 102B-Judd V8

Monaco 1992, 107-Cosworth V8 ▼ Monaco 1993, 107B-Cosworth V8 ▼ Rio de Janeiro (BR) 1994,107C-Mugen-Honda V10 ▼ Monaco 1994, 107C-Mugen-Honda V10

Techniek, Design

1970-1992

Monaco 1976, 761, R. Peterson

Monaco 1977, 761B, I. Scheckter

Monaco 1982, 821, J. Mass

Monaco 1988, 881, M. Gugelmin

Monaco 1990, CG901, M. Gugelmin

Monaco 1992, CG911, P. Belmondo

Zandvoort (NL) 1970, 701

Founded in April 1969 by the four gentlemen Max Mosley, Alan Rees, Graham Coaker and Robin Herd with a fair amount of ballyhoo, March was given a quiet burial at the end of the 1992 season. Its three victories in 230 grands prix were dotted over its maiden years, at Jarama in 1970 through Jackie Stewart, at Zeltweg in 1975 courtesy of Vittorio Brambilla, and at Monza in 1976 achieved by Ronnie Peterson. In 1988 the team was good enough for the sharp end of the grid again with Adrian Newey's small and compact 881 model, but March was already in a tight corner. Based in English Bicester, the single-seater manufacturer served the sport well, though, producing and selling series-built single-seaters from Formula Atlantic to IndyCars.

In april 1969 met goede moed opgericht door Max Mosley, Alan Rees, Graham Coaker en Robin Herd, verdwijnt March aan het einde van het seizoen 1995 met stille trom. Drie zeges in 230 Grand Prix-races is het schamele resultaat van de beginjaren: in 1970 in Jarama door Jackie Stewart, in 1975 in Zeltweg door Vittorio Brambilla en in 1976 in Monza door Ronnie Peterson. Als in 1988 met Adrian Newey's compacte Modell 881 weer goede resultaten worden behaald, dreigt ineens een financieel debacle. Niettemin heeft de uit het Engelse Bicester afkomstige monoposto-fabrikant zijn strepen in de motorsport verdiend, vooral als grossier van raceauto's van allerlei soorten, van Formula Atlantic tod Indycar.

March

Silverstone (GB) 1971, 711

▼ Phoenix (USA) 1991, CG911-Illmor V10   Clermont-Ferrand (F) 1971, 711-Alfa Romeo V8   ▼ Monaco 1991, CG911-Illmor V10   Zeltweg (A) 1982, 821-Cosworth V8

▼ Monaco 1992, CG911-Illmor V10

Techniek, Design

1985-2003

Monaco 1985, M185, P. Martini

Monaco 1990, M190, P. Martini

Monaco 1993, M193, C. Fittipaldi

Monaco 1999, MO1-Ford Zetec R V10

Monaco 1996, M195B, G. Fisichella

Monaco 2000, MO2, M. Gené

Monaco 2003, PS03, J. Wilson

After five apprentice years in Formula 2, the Minardi team entered the big stage of grand prix racing in 1985. But things were as before: the leading parts had been given to others. Nevertheless the small outfit, based at Faenza only a stone's throw away from Imola, provided the likes of Andrea de Cesaris, Alessandro Nannini or Giancarlo Fisichella with a solid basic education, as well as contributing a lot of colour and two cars to the last third of the grid. In 1991, there seemed to be light at the end of the tunnel. Fired up by a Ferrari engine, faithful Minardi hussar Pierluigi Martini was fourth at Imola and Estoril, his team seventh in the constructors' standings. But the struggle for survival has gone on, with Australian businessman Paul Stoddart at the helm since 2001.

Na vijf leerjaren in de Formule 2 betreedt het Minardi-team in 1985 het toneel van de Formule 1. Daar gaat het net als elders: de hoofdrollen spelen anderen. Niettemin zorgt de renstal, die in Faenza bij Imola zijn thuisbasis heeft, voor een degelijke opleiding van zijn coureurs – onder wie Andrea de Cesaris, Alessandro Nannini, Giancarlo Fisichella – en draagt bij aan de veelkleurigheid van het Formule 1-veld. In 1991 lijkt er licht aan het einde van de tunnel. Dankzij een Ferrari-V12 eindigt Minardi-huzaar Pierluigi Martini in Imola en Estoril als vierde. Het team wordt zevende bij de constructeurs. Het gevecht om te overleven – sinds 2001 onder de leiding van de Australische zakenman Paul Stoddart – duurt nog altijd voort.

Minardi

Le Castellet (F), M185, Motori-Moderni V6-Turbo

Phoenix (USA) 1991, M191-Ferrari V12

Kyalami (ZA) 1993, M191B-Lamborghini V12

Monaco 1999, MO1-Ford Zetec R V10   ▼ Monaco 2001, PS01-European V10   ▼ Monaco 2002, PS02-Asiatech V10   ▼ Monaco 2003, PS03-Cosworth V10

1977-1985, 2002-2003

Monaco 1978, RS01, J.-P. Jabouille

Monaco 1980 RE20, R. Arnoux

Monaco 1981, RE30, A. Prost

Monaco 1982, RE30B, A. Prost

Monaco 1983, RE40, A. Prost

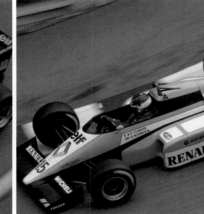

Monaco 1984, RE50, P. Tambay

Monaco 1985, RE60, P. Tambay

Monaco 2002, B202, J. Trulli

Monaco 2003, R23, F. Alonso

In September 1976, Renault-Gordini and Alpine merged into Renault Sport. Priority on the agenda was competing in Formula 1 and indeed on 16 July of the following year, works and test driver Jean-Pierre Jabouille was seen at Silverstone on the eleventh row of the grid, driving the yellow Renault RS01-Turbo. It was Jabouille again who provided the équipe with their first three points, at Watkins Glen in 1978, and their maiden victory, at Dijon in 1979. But in spite of 15 first places, reality lagged far behind the expectations which were almost fulfilled in 1983: That year the Équipe Renault Elf and their star driver Alain Prost were runners-up in the constructors' and drivers' championships. A new beginning from 2002 onwards has been promising so far.

In september 1976 fuseert Renault-Gordini met Alpine onder de naam Renault Sport. Prioriteit heeft een bouw van de Grand Prix-wagen en die komt er ook. Op 16 juli 1977 start de fabrieks- en testcoureur Jean-Pierre Jabouille in Silverstone vanaf startplek 21 in een gele Renault RS01 turbo. Jabouille bezorgt de 'equipe' in 1978 in Watkins Glen de eerste drie punten en de eerste overwinning in 1979 in Dijon. Ondanks de 15 zeges die tot 1985 worden behaald, voldoet de realiteit niet aan de verwachtingen. In 1983 is de 'equipe' er nog het dichtst bij. Topcoureur Alain Prost én het team Renault Elf eindigen beide als vice-wereldkampioen, respectievelijk bij de coureurs en bij de constructeurs. De herstart in 2002 is veelbelovend begonnen.

Renault

Long Beach (USAW) 1979, RE20 V6-Turbo

▼ Jarama (E) 1979, RS10

▼ Jarama (E) 1979, RS10 V6-Turbo

▼ Hockenheim (D) 1979, RS10 V6-Turbo

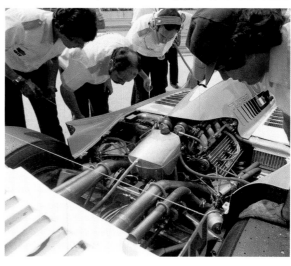

Hockenheim (D) 1981, RE30 V6-Turbo

Zandvoort (NL) 1982, RE30B V6-Turbo

Le Castellet (F) 1983, RE40 V6-Turbo

Monaco 1982, RE30B   ▼ Silverstone (GB) 1983, RE40 V6-Turbo   ▼ Zeltweg (A) 1984, RE50 V6-Turbo   ▼ Imola (RSM 1985, RE60 V6-Turb

ndianapolis (USA) 2002, B202

Monaco 2002, B202

Montreal (CDN) 2003, R23 V10 ▼ Montreal (CDN) 2003, R23, shock absorbers ▼ Silverstone (GB) 2003 ▼ Monaco 2003, R23 V10

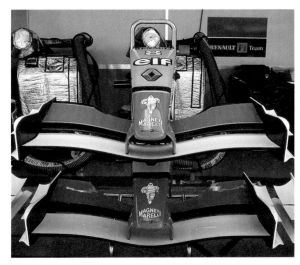

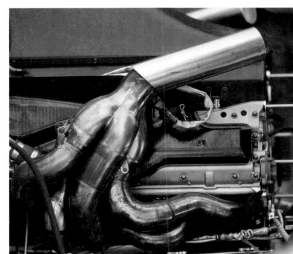

1993-2003

Monaco 1993, C12, K. Wendlinger

Monaco 1995, C14, J.-C. Bouillon

Monaco 1996, C15, H.-H. Frentzen

Monaco 1998, C17, J. Alesi

Monaco 1999, C18, J. Alesi

Monaco 2000, C19, M. Salo

Monaco 2001, C20, K. Räikkönen

Monaco 2002, C21, N. Heidfeld

Monaco 2003 C22, N. Heidfeld

São Paulo (BR) 1993, C12

São Paulo (BR) 1995, C14

Melbourne (AUS) 2002, C21

The team from the small Swiss town of Hinwil was very successful in sportscar racing, winning Le Mans in 1989 and the titles for drivers and makes in 1989 and '90. Its partner was Mercedes. But Peter Sauber ventured the step into Formula 1 on his own in 1993. In 1994, the connection with the Stuttgart giant was briefly revived before Red Bull Sauber became Ford's official works team for two years. Since 1997, Sauber has been provided with the preceding year's Ferrari engines, the identity of which, however, has been veiled by the name of Sauber's partner Petronas, the national Malaysian oil company. The outfit's best year so far was 2001, with fourth in the constructors' standings, through the efforts of the cheeky youngsters Nick Heidfeld and Kimi Raikkonen.

Grote successen oogst het team uit het Zwitserse Hinwil bij Zürich vanaf 1988 met zij sportwagens: een zege in Le Mans in 1989 en de wereldtitel voor constructeur en coureu in 1989 en 1990. Ondanks partner Mercedes zet Peter Sauber de stap in de Formule 1 i 1983 in zijn eentje. In 1994 bloeit de relatie met de Zuid-Duitse firma nogmaals kort o voordat Red Bull Sauber twee jaar lang het officiële team van Ford wordt. Sinds 199 beschikken de wagens over Ferrari-motoren van het seizoen ervoor. Dit wordt versluier door de naam van Saubers partner Petronas op de wagens, de oliegigant uit Maleisi 2001 wordt het beste jaar met een vierde plaats bij de constructeurs dankzij de youngste Nick Heidfeld en Kimi Räikkönen.

Sauber

Kyalami (ZA) 1993, C12

Monaco 1993, C12-Illmor V10   ▼ São Paulo (BR) 1994, C13-Mercedes V10   Monaco 1993, C12

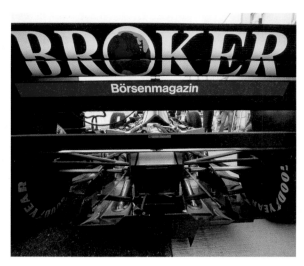

Aida (J) 1994, C13

Aida (J) 1994, C13-Mercedes V10

Hungaroring (H) 1997, C16-Petronas V10

▼ Monaco 1999, C18-Petronas V10

Technology, Design

Monaco 2000, C19-Petronas V10

Sepang (MAL) 2001, C20-Petronas V10

▼ Monaco 2003, C22   Monaco 2000, C19-Petronas V10

Monaco 2002, C21   ▼ Monaco 2003, C22-Petronas V10

2002-2003

Monaco 2002, TF102, A. McNish

Monaco 2003, TF103, O. Panis

Monaco 2003, TF103, C. da Matta

A1-Ring (A) 2002, TF102

Monaco 2003, TF103

Monaco 2002, TF102

Silverstone (GB) 2002, TF102 V10

At the end of 1999, Toyota announced that they were going to focus on Formula 1 in the future. As with top competitor Ferrari, the main elements of chassis and engine were to be in-house products, the team's base being the Cologne suburb of Marsdorf, far from the Land of the Rising Sun. Seasoned designer Gustav Brunner was to look after the chassis, the engine would be built by Norbert Kreyer, once a Zakspeed employee with the same role but with a tiny budget. So it was in Cologne that the Toyota TF102 was presented to the world's press on 17 December 2001. 2002 turned out to be a period of apprenticeship, but a year later Cristiano de Matta and Olivier Panis managed to drive into the points a couple of times.

Eind 1999 verklaart Toyota zich wat de sport betreft alleen nog maar op de Formule 1 te willen richten. Net als bij de marktleider Ferrari moeten het chassis en de motor uit eigen huis komen. Hiermee wordt de vestiging in Keulen-Marsdorf bedoeld, ver weg van het land van de rijzende zon. Verantwoordelijk voor het chassis wordt de ervaren Gustav Brunner. Voor de motor tekent Norbert Kreyer, vroeger bij Zakspeed, maar nu met een veel kleiner budget. Op 17 december 2001 wordt in Keulen de nieuwe Toyota TF102 gepresenteerd. Voor Toyota en de coureurs Mika Salo en Allan McNish is 2002 een leerjaar. Een jaar later weten Cristiano de Matta en Olivier Panis ook wel eens op een vijfde en zesde plaats te eindigen.

Toyota

Hungaroring (H) 2003, TF103

Barcelona (E) 2003, TF103

Imola (RSM) 2003, TF103 V10 ▼ Silverstone (GB) 2003, TF103 ▼ Imola (RSM) 2003, TF103

Techniek, Design

Monaco 1980, 010, J.-P. Jarier

Monaco 1981, 010, E. Cheever

Monaco 1984, 012, M. Brundle

Monaco 1985, 012, M. Brundle

Monaco 1987, DG016, J. Palmer

Monaco 1989, 018, J. Palmer

Monaco 1990, 019, J. Alesi

Monaco 1993, 020C, U. Katayama

Monaco 1994, 022C, U. Katayama

Monaco 1996, 024, M. Salo

Monaco 1997, 025, M. Salo

Monaco 1998, 026, R. Rosset

In the racing business since the fifties, Ken Tyrrell built his own cars from 1970. Their maiden years were definitely the best. As early as their second season, Tyrrell's wide blue vehicles – their chassis numbers 001 and 002 used like names – carried Jackie Stewart to his second title. Short and squat and crowned by a huge air-intake chimney was the 006, with which the Scotsman claimed his third championship in 1973. But later the former timber merchant was in for rather step-motherly treatment by the Lady Luck of the circuits, as the remaining seven Tyrrell victories were scattered over a quarter of a century – the last one in 1983 by Michele Alboreto in Detroit.

Ken Tyrrell, al sinds de jaren vijftig actief in de racewereld, bouwde sinds 1970 aan een eigen wagen. De eerste jaren blijven met afstand de beste. Al in het tweede seizoen dragen zijn brede blauwe auto's Jackie Stewart naar een tweede titel. Hun chassisnummers 001 en 002 worden in de branche als namen verheerlijkt. De 006 is kort, gedrongen en getooid met een machtige aanzuigbuis. Met deze wagen weet de Schot in 1973 zijn derde titel binnen te halen. Maar daarna gaat de vrouwe Fortuna van de circuits maar stiefmoederlijk om met de voormalige houthandelaar. De resterende zeven Tyrrell-zeges zijn dunnetjes verdeeld over maar liefst een kwart eeuw. De laatste stamt uit 1983 dankzij Michele Alboreto in Detroit.

Tyrrell

Zandvoort (NL) 1971, 002, J. Stewart

Monaco 1971, 002-Cosworth V8

Clermont-Ferrand (F) 1972, 003-Cosworth V8

Spa-Francorchamps (B) '72, 003 ▼ Monza (I) '73, 006

Zandvoort (NL) 1974, 007

▼ Zolder (B) 1977, P34, R. Peterson

▼ Long Beach (USAW) 1977, P3

▼ Hockenheim (D) 1977, P34, P. Depailler

Technology, Design

Monaco 1983, 011

Silverstone (GB) 1983, Cosworth V8 engines

Zandvoort (NL) 1983, 012-Cosworth V8

Monaco 1991, 020, Honda V10

▼ Zandvoort (NL) 1983, 012   Kyalami (ZA) 1992, 020B-Illmor V10

São Paulo (BR) 1995, 023-Yamaha V10

1985-89

Nürburgring (D) 1984

Nürburgring (D) 1984, 841 R4-Turbo

Nürburgring (D) 1984

Nürburgring (D) 1984, 841 R4-Turbo

Monaco 1985, 841, J. Palmer

Monaco 1987, 871, C. Danner

Monaco 1989, 891, B. Schneider

The racing patriarch Erich Zakowski's decision to build a kind of 'Eifel' Ferrari, with his own engine and chassis, made sense. Thus, procedures were shortened, costs were cut and conflicts were prevented. In the sharp light of the grands prix, however, things turned out to be different. Certainly, there was Martin Brundle's fifth place at Imola in 1987, in the Zakspeed turbo model 871. This was, rejoiced the squad from Niederzissen, the change they had been striving for. It was indeed – only that things became much worse than before, even in 1989, when Zakowski had already infringed upon his basic creed, using Yamaha 12-cylinder engines. Again and again the team failed in prequalification, and at the end of the season a dream had come to nought.

Er pleitte veel voor het besluit van de racepatriarch Erich Zakowski om een soort Eifel-Ferrari (naar de streek in Duitsland) te bouwen met een chassis en motor uit eigen fabricage. Dit maakt de lijnen korter, is kostenbesparend en voorkomt conflicten. Maar de realiteit van de Grand Prix is vaak heel anders. Natuurlijk, de vijfde plaats van Martin Brundle in Imola in een Zakspeed Turbo van het type 871 is een feit. En misschien ook de ommekeer, juicht de renstal uit Niederzissen nabij Bonn. Inderdaad – het wordt allemaal nog erger. Dat blijft ook zo nadat men Zakowski's credo verlaat en op een Yamaha-V12 inzet. Steeds weer mist het team in de kwalificatie de boot. Het einde van dat seizoen is tevens het einde van een droom.

Zakspeed

344

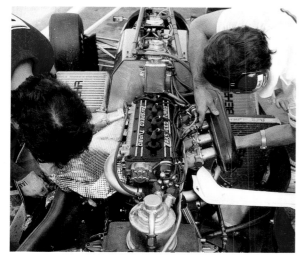

Le Castellet (F) 1985, 841 R4-Turbo

Imola (RSM) 861 R4-Turbo

Monaco 1987, 861 R4-Turbo

Monaco 1988, 881

▼ Rio de Janeiro (BR) 1989, 891-Yamaha V8

▼ Imola (RSM) 1989, 891-Yamaha V8

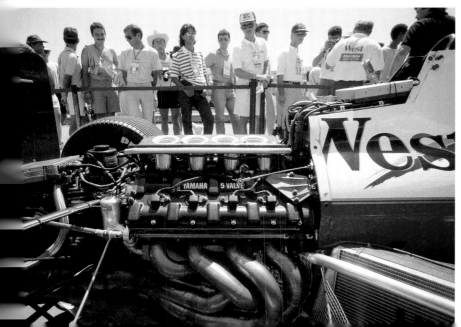

1950-1969

Monza (I) 1952, T20-Bristol 6 2.0 liters

Monza (I) 1966, T81

Spa-Francorchamps (B) 1968, T86B-BRM V12

In 1946, Charles Cooper and his son John took up a pre-war Auto Union tradition, although in mini-format, implanting 500 cc JAP engines in the rear of tiny single-seaters. In 1950, Monaco saw the grand prix debut of a Cooper. From 1957 onwards, their revolutionary idea was matched to horsepower, produced by Climax engines. In 1958, Stirling Moss grabbed victory in Buenos Aires and Maurice Trintignant in Monaco, in private entrant Rob Walker's Cooper. When Jack Brabham took the titles for himself and the team in 1959 and '60, his Cooper was propelled by a fully-fledged 2.5-litre unit. In 1962 Bruce McLaren won in Monaco; in 1966 John Surtees in Mexico and in 1967 Pedro Rodriguez at Kyalami, the latter two in Cooper-Maseratis.

In 1946 doen Charles Cooper en zijn zoon John hun collega's bij Auto Union van voor de oorlog in het klein na en verplaatsen de 0,5-liter-motor van JAP naar de achterkant van kleine monoposti. Cooper viert zijn Grand Prix-première in Monaco in 1950. Vanaf 1957 lukt het met Climax-motoren een revolutionair idee te koppelen aan kracht. In 1958 wint Stirling Moss in Buenos Aires en Maurice Trintignant in Monaco in een Cooper van renstaleigenaar Rob Walker. Als Jack Brabham voor zichzelf en het team in 1959 en 1960 twee titels behaalt, zijn de Coopers met 2,5-liter-motoren op volle sterkte. In 1962 wint Bruce McLaren in Monaco, in 1966 John Surtees in Mexico en in 1967 Pedro Rodriguez in Kyalami, de twee laatsten in een Cooper-Maserati. Dat is alles.

Cooper

Zanvoort (NL) 1975, FD03-Cosworth V8

Monaco 1976, FD04, E. Fittipaldi

Monaco 1977, FD04, E. Fittipaldi

Zandvoort (NL) 1980, F8

Monaco 1979, F5A, E. Fittipaldi

Monaco 1980, F7, K. Rosberg

At the end of 1975, Emerson Fittipaldi caused a sensation when he announced that he would leave McLaren and drive the cars long-haired designer Ricardo Divila had built for his brother Wilson Fittipaldi instead. Patriotism and family bonds had prevailed over the will to succeed. The car was named Copersucar after the team's main sponsor, until the Brazilian sugar giant baled out in 1979 and Fittipaldi joined forces with Walter Wolf's outfit. Moving into the province of the backbencher, the popular double champion was heading for mediocrity. Only rarely did his slumbering brilliance scintillate, for instance with his good second place behind Carlos Reutemann's Ferrari in Rio in 1978 and his third position at Long Beach in 1980.

Eind 1975 veroorzaakt Emerson Fittipaldi een storm in een glas water. Hij wil McLaren verlaten en voortaan rijden met de auto die de langharige designer Ricardo Divila voor zijn broer Wilson Fittipaldi had gebouwd. De reden: het onderhouden van vaderlandse en familiebanden. De auto is genoemd naar de hoofdsponsor, Copersucar, totdat de Braziliaanse suikergigant zich terugtrekt en het team met de Wolf-renstal fuseert. Met deze beslissing is de ondergang van de populaire, tweevoudige kampioen onafwendbaar. Nog slechts af en toe keert zijn oude glans even terug, bijvoorbeeld met een goede tweede plaats in 1978 in Rio achter Carlos Reutemann in de Ferrari en een derde plaats in Long Beach in 1980.

Fittipaldi

Techniek, Design

1964-1968

Spa-Francorchamps (B) 1966, RA 273 V12

Monaco 1967, RA 300 V12

Monza (I) 1967, RA 300 V12

Monaco 1965, RA 272 V12

Monza (I) 1966, RA 273 V12

Rouen (F) 1968, RA 302

Monza (I) 1968, RA 302

Rouen (F) 1968, RA 302 V8

The initial production of Honda's cars in the early sixties was flanked by a racing offensive, to comply with the customs of the marque. A grand prix vehicle was presented at Zandvoort in 1964, a shrieking V12 engine transversely installed into its rear. Its maiden race was at the Nürburgring a little later, with the rather unknown sportscar driver Ronnie Bucknum at the wheel. His compatriot Richie Ginther provided the outfit with its first victory, in the very last race of the 1.5-litre formula in Mexico in 1965. From then onwards, it was three litres. But the Honda weapon for the new era was much too clumsy and far too heavy. Again the team notched up only one victory, claimed at Monza in 1967 by John Surtees, who invested a lot of work and ideas in the car.

De productiestart van de Honda-auto's aan het begin van de jaren zestig gaat, geheel in stijl van het merk, gepaard met een aanval op het racefront. In Zandvoort wordt in 1962 een Grand Prix-racewagen voorgesteld met een krijsende V12 achterin. Kort erna maakt hij zijn debuut op de Nürburgring met de onbekende Ronnie Bucknum aan het stuur. Niet hij maar zijn Amerikaanse landgenoot Richie Ginther slaagt erin de eerste zege te halen – in de allerlaatste 1,5-liter-formule-race in 1965 in Mexico. Daarna draait alles om de drie-litermotoren. Het Honda-model voor het nieuwe tijdperk blijkt veel te groot en te zwaar. Wederom wordt slechts één zege behaald, in 1967 in Monza door John Surtees, die veel werk en eigen ideeën in de wagen had gestopt.

Honda

onaco 1986, THL2, A. Jones

Monaco 1990, Lola-Larrousse 90, A. Suzuki

Monaco 1993, Lola-BMS T93/30, M. Alboreto

onaco 1990, Lola-Larrousse 90-Lamborghini V12

ungaroring (H) 1986, THL2-Cosworth V6-Turbo

Monaco 1988, Lola-Larrousse LC88-Cosworth V8

Monaco 1993, Lola-BMS T93/30 Ferrari V12

ince 1962 Lola has been a known quantity in the grand prix business. But there were equent breaks, during which founding father, constructor and manager Eric Broadley was usy supplying the racing world with production cars in almost all categories. They were amed after the fifties' hit "Whatever Lola wants, Lola gets". Alas, that was not the case: John urtees did occupy pole at the debut of a Lola grand prix car at Zandvoort in 1962, but there ere no victories for the marque, neither in its first Formula 1 years 1962 and '63, nor in the olours of Graham Hill's Embassy Team in 1974 and '75, nor for American Carl Haas in 1985 nd '86, Frenchman Gérard Larrousse between 1987 and '91 and the Scuderia Italia in 1993. works team failed miserably in 1997.

Sinds 1962 is Lola Cars een bekende naam in de Grand Prix. Maar te vaak schiet oprichter, constructeur en manager Eric Broadley tekort wanneer hij de racewereld van auto's in bijna alle klassen voorziet. Vernoemd zijn de auto's naar de hit 'Whatever Lola wants, Lola gets' – wat niet blijkt uit de praktijk. Hoewel John Surtees in 1962 bij zijn debuut in Zandvoort met een Lola een pole position veroverde, blijven zeges uit, zowel in de beginjaren van de Formule 1, 1962-1963, en later ook voor het Graham Hills Embassy Team in 1974 en 1975, voor de Amerikaan Carl Haas in 1985 en 1986, voor de Fransman Gérard Larrousse tussen 1987 en 1991 en voor de Scuderia Italia in 1993. Het fabrieksteam uit 1997 ging snel ten onder.

Lola

Techniek, Design

1967-72

Monza (I) 1969, MS80-Cosworth V8

Clermont-Ferrand (F) 1969, MS80

Monza (I) 1969

Zandvoort (NL) 1970, MS120-Matra V12

As Matra had already made a name for itself in Formulas 3 and 2, its boss Jean-Luc Lagardère was anxious to join the glamorous ranks of grand prix racing. He opted for a double-tracked approach. Ken Tyrrell combined Matra chassis with Ford DFVs, whereas the works team resorted to the prestigious in-house V12 engine. But that was rewarded with just a couple of second and third places for Jean-Pierre Beltoise, Henri Pescarolo and Chris Amon between 1968 and 1972. However, Tyrrell and his star driver Jackie Stewart got their act together. In 1968, the Scot won at Zandvoort, the Nürburgring and Watkins Glen, claiming his first title in 1969. Then Ken called it quits – the V12 unit, part and parcel of a new deal – just did not agree with him.

Na de successen van het Franse concern in de Formule 3 en 2 wil Matra-baas Jean-Luc Lagardère zijn geluk testen in de Formule 1. Er wordt gekozen voor een dubbele strategie: Ken Tyrrell geeft de voorkeur aan een Matra-chassis met Ford-motoren en het fabrieksteam aan de prestigieuze Matra V-12. Enkele tweede en derde plaatsen voor Jean-Pierre Beltoise, Henri Pescarolo en Chris Amon zijn tussen 1968 en 1972 het enige resultaat. Tyrrell en zijn topcoureur Jackie Stewart troeven echter iedereen af. In 1968 wint de Schot in Zandvoort, op de Nürburgring en in Watkins Glen, en wordt in 1969 voor het eerst wereld kampioen. Dan gaat men uit elkaar: Tyrrell bevalt de V12 niet, die de inzet was van een nieuwe deal.

Matra

Monaco 1965, W196 R8

W196

W196

W196

W196

The post-war Mercedes comeback was hailed with high expectations: The first generation Silver Arrows, having passed into legend in the thirties, had set a benchmark that could scarcely be surpassed. But reality overcame all scruples. Juan Manuel Fangio led his team-mate Karl Kling home in the streamlined W196s at their debut in the third race of the 1954 season, at Reims on 4 July. The streamliners were joined by an open-wheeled variant at the Nürburgring. In the remaining eleven rounds of the 1954 and '55 seasons, another eight victories were achieved by the silver cars. Only once, at Aintree in 1955, did Fangio let Stirling Moss go first and grabbed the world title twice himself. In the autumn of 1955 Mercedes retired – mission accomplished.

De comeback van Mercedes wekt hoge verwachtingen: vanuit de jaren dertig groeten de tot legende verklaarde 'Silberpfeile' van de eerste generatie en dat legt verplichtingen op. De realiteit overtreft alles en iedereen. Juan Manuel Fangio wint vóór zijn teamcollega Karl Kling twee Grand Prix-races aan het begin van het seizoen, tijdens de première in Reims op 4 juli 1954 met de gestroomlijnde W196, die na de Nürburgring ook in een variant zonder aërodynamische wielkappen verschijnt. In de resterende elf Grand Prix uit 1954-1955 worden nog eens acht zeges behaald. Slechts één daarvan, die van 1955 in Aintree, moet Fangio aan Stirling Moss afstaan, en wordt twee keer kampioen. In de herfst van 1995 trekt Mercedes zich terug – missie volbracht.

Mercedes

1958-64

804

804, engine and gear box

8-cylinder flat (boxer) engine with air cooling 804

804

Porsche ventured upon its first exploratory steps on the unknown grand prix planet with the familiar sportscar, a modified Spyder RS driven by Edgar Barth at the Nürburgring in 1957, and at Zandvoort in 1958, where the Dutch Count Carel Godin de Beaufort sat at the wheel of his Ecurie Maarsbergen's RSK. The first real formula racing car from Zuffenhausen, despite having an obvious affinity with the two-seaters of the marque, was built for Formula 2 in the 1958/59 winter and, complying with the new 1.5-litre formula, had turned into a grand prix car in a mild evolutionary process in 1961. But first places eluded it. With its sleeker successor the F1-804, Dan Gurney took a lucky win at Rouen in 1962 and grabbed pole at the Nürburgring.

Zijn eerste schreden in de onbekende wereld van de Grand Prix zet Porsche met de vertrouwde raceauto's, in 1957 op de Nürburgring met een aangepaste Spyder RS met aan het stuur Edgar Barth en in 1958 in Zandvoort met de RSK van Ecurie (renstal) Maarsbergen bestuurd door graaf Carel Godin de Beaufort. De eerste echte Formule-auto uit Zuffenhausen is onmiskenbaar gebaseerd op sportwagens van het merk en ontstaat in de winter van 1958-1959 voor de Formule 2. Hij ontwikkelt zich vanaf 1961 langzaam tot een nieuwe Formule 1-wagen met een 1,5-liter-motor. Eerste plaatsen blijven uit, maar in de slanke opvolger F1-804, een achtcilinder, zegeviert Dan Gurney in 1962 in Rouen en haalt een pole position op de Nürburgring.

Porsche

Monaco 1997, JS 45, O. Panis

Monaco 1999, AP02, J. Trulli

Monaco 2001, AP04, J. Alesi

Monaco 2000, AP03

Monaco 1997, JS 45-Mugen-Honda V10

Monaco 2000, AP03, Peugeot V10

Monaco 2001, AP04-Acer V10

The gift four times world champion Alain Prost presented to himself in February 1997, fulfilling a long-cherished wish to do so, was already a bit second-hand – the Équipe Ligier. The deal, worth 30 million dollars, rumour had it, had been preceded by difficult negotiations with Ligier boss Flavio Briatore, Formula 1 supremo Bernie Ecclestone, the French government and Automobiles Peugeot, whose engines Prost would use for the next three years. The name of the new racing stable, which Alain Prost regarded as almost a patriotic mission, was Prost Grand Prix. But then the dynamic little Frenchman was in for the sad experience that you cannot subscribe to success, and that he had played in a different league as a driver.

In februari 1997 laat de viervoudige wereldkampioen Alain Prost een oude wens in vervulling gaan door zichzelf de Equipe Ligier cadeau te doen. Aan de deal, waarmee volgens zeggen 30 miljoen dollar gemoeid is, gaan ingewikkelde onderhandelingen vooraf met Ligier-boss Flavio Briatore, Formule 1-chef Bernie Ecclestone en de Franse regering. Zelfs Automobiles Peugeot is erbij betrokken, want over hun motoren gaat Prost vanaf 1998 drie jaar lang beschikken. De naam van de renstal, die Alain Prost als nationale missie beschouwt, wordt met onmiddellijke ingang Prost Grand Prix. De dynamische kleine Fransman blijft echter de droevige ervaring niet bespaard, dat je je op succes niet kunt abonneren.

Prost

Techniek, Design

1950-60

Monza (I) 1955, D50 V8

Nürburgring (D) 1953, A6 GCM 6

Monza (I) 1956, 250F 6

Monza (I) 1967, T86-Maserati V12

The four brothers Alfieri, Bindo, Ernesto and Ettore Maserati were the founding fathers of the Maserati racing stable. In the thirties it had a tough time up against the Silver Arrows and its fellow Italian competitor Alfa Romeo. Even during the infancy of Formula 1 – the outfit meanwhile having been taken over by the industrialist Orsi family – it had to content itself with the role of underdog, regularly succumbing to its red Milan rivals and Ferrari. But the 1954 Maserati 250Fs were born winners, 34 being produced up to 1958. With wins in its first two races in 1954, the car contributed 16 points to Juan Manuel Fangio's second championship in 1954 and was the great Argentinian's mount when securing his fifth title in 1957.

Oprichters van de Maserati-renstal zijn de broers Alfieri, Bindo, Ernesto en Ettore Maserati. In de jaren dertig hebben ze het moeilijk tegen de 'Silberpfeile' en de concurrent uit eigen land, Alfa Romeo. Nog aan het begin van de Formule 1-geschiedenis – het merk is inmiddels overgenomen door de fabrikantenfamilie Orsi – lukt het niet om zich staande te houden tegen de rode rivaal uit Milaan en later tegen Ferrari. In 1954 produceert Maserati een kampioenswagen, de 250F, waarvan tot 1958 maar liefst 34 exemplaren verschijnen. De successen uit de beide eerste races in 1954 leidt tot Fangio's tweede wereldtitel, en in 1957 is het tevens de winning car van de vijfde titel van de Argentijn.

Maserati & Lancia

Technology, Design

Barcelona (E) 1999, SF3

Monaco 1997, SF1-Ford-Zetec V10

Monaco 1999

São Paulo (BR) 1998, SF1-Ford-Zetec V10

Monaco 1997, SF1, R. Barrichello

Monaco 1998, SF2, J. Magnussen

Monaco 1999, SF3, R. Barrichello

Stewart Grand Prix grew to only three seasons and 49 grands prix old. But the alert Scotsman achieved a feat only equalled by fellow world champion Jack Brabham: One of his cars won a grande épreuve, the European Grand Prix at the Nürburgring in 1999, with Johnny Herbert at the wheel. That day's chaotic weather conditions also played a role, as did Lady Luck, chance and tactics. As early as Magny-Cours, Herbert's team-mate Rubens Barrichello had boosted the team's morale with his pole position, as he had also done two years before with second place in Monaco. When the cars rolled to the start at Melbourne in 2000, Stewart Grand Prix had lost its identity as well as its colours, as it now ran under the Jaguar flag.

Stewart Grand Prix overleeft maar drie seizoenen en 49 Grand Prix-races. Maar de pientere Schot brengt iets tot stand waarin tot dusver alleen een andere wereldkampioen, Jack Brabham, slaagde: een van zijn wagens wint een Grand Prix. Het is die van Europa in 1999 op de Nürburgring met Johnny Herbert aan het stuur. Het barre weer van die dag, een portie geluk, een tikkeltje toeval en een beetje tactiek speelden ook een rol, maar toch. Al in Magny-Cours had teammaat Rubens Barrichello het moreel van het team met een pole position opgepept, net zoals twee jaar eerder met een tweede plaats in Monaco. Bij de start van de Grand Prix in Melbourne in 2000 heeft Stewart Grand Prix de naam en de kleur ingeruild voor Jaguar Racing.

Stewart

Techniek, Design

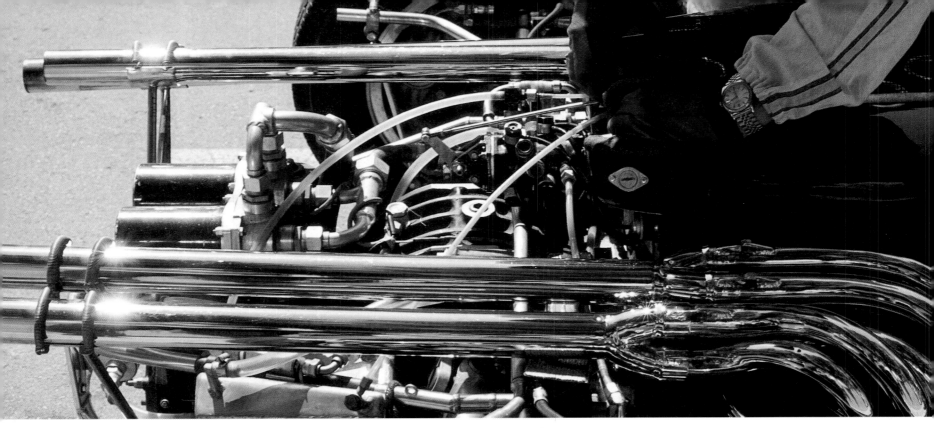
Monaco 1967, Eagle-Weslake T1G V12

Monaco 1977, Hesketh 308E-Cosworth V8, H. Ertl

Monaco 1976, Ensign N177-Cosworth V8, C. Amon

Zandvoort (NL) 1973, Surtees TS9-Cosworth V8

In 1974, Lord Alexander Hesketh placed a shrill spot of colour in the shape of Hesketh Racing amidst the growing professionalism of Formula 1. The team stirred up a storm in a teacup with its receptive attitude towards wine, women and song, and was certainly not stingy. The Hesketh 308 was bolted together by designer Harvey Postlethwaite in converted horse stables on the family estate Easton Neston. With James Hunt a driver was found who was both swinging and competent. In 1974 he secured some good positions and even victory in the 1975 Dutch Grand Prix at Zandvoort. Then things became too expensive for Lord Alexander and he sold his team's assets to Walter Wolf. But his cars were still seen on the race tracks for quite some time.

In 1974 plaatst Lord Alexander Hesketh een opvallend, kleurrijk team midden in het steeds professioneler wordende Formule 1-circus: Hesketh Racing. Het team toont zich erg ontvankelijk voor de geneugten van het leven, waarbij niet op een paar pond sterling wordt gekeken. De Hesketh 308 wordt door constructeur Harvey Postlethwaite in een verbouwde paardenstal op het familiegoed Easton Neston in elkaar gezet. In James Hunt wordt een evenzo levenslustige als bekwame coureur gevonden. In 1974 en 1975 zorgt hij voor goede resultaten, in 1975 zelfs voor een zege in Zandvoort. Dan wordt het Lord Alexander allemaal te duur en verkoopt hij zijn renstal aan Walter Wolf. Zijn wagens echter spoken nog een poos rond over de circuits.

Eagle (1966-69)
Hesketh (1974-78)

Ensign (1973-82)
Surtees (1970-78)

Monza (I) 1972, Tecno PA123 F12

Long Beach (USAW) 1979, Wolf WR8-Cosworth V8

Zeltweg (A) 1975, Shadow DN7-Matra V12

Brands Hatch (GB) 1976, Penske PC4-Cosworth V8

After rising from rags to riches in the oil business in the seventies, Austro-Canadian Walter Wolf turned his attention to Formula 1, supporting Frank Williams from 1975 onwards, who had so far been as poor as a church-mouse. Two years later he set up his own team, with a conventionally-built car and Jody Scheckter as his driver, holding court in regal fashion in the paddocks, a helicopter and a Lamborghini Countach included, all in his blue and gold colour scheme. In the young squad's first grand prix at Buenos Aires, Scheckter grabbed a lucky win and also took two more Wolf victories in Monaco and Mosport in the Lauda year 1977. In spite of further good results, Wolf lost enthusiasm for the sport after three seasons and bowed out.

De Australische Canadees Walter Wolf, die begin jaren zeventig met olie veel geld wist te verdienen, grijpt in 1975 de straatarme Frank Williams onder de arm. Twee jaar later begint hij voor zichzelf met een conventioneel gebouwde wagen en met coureur Jody Scheckter. Hij valt op door zijn vorstelijk gedrag in de boxen overal ter wereld, inclusief een privé-helikopter en een Lamborghini Countach, alles in zijn kleuren blauw en goudgeel. Met een tikkeltje geluk wint Scheckter in Buenos Aires de eerste Grand Prix voor het jonge team, gevolgd door zeges in Monaco en Mosport, allebei in het Lauda-jaar 1977. Ondanks enkele goede resultaten die volgen, heeft Wolf na drie seizoenen geen plezier meer in zijn dure hobby en houdt ermee op.

Shadow (1973-80)
Penske (1974-77)

Tecno (1972-73)
Wolf (1977-79)

Dijon (F) 1981, Toleman TG181-Hart R4-Turbo

Spa-Francorchamps (B) 1985 RAM 03-Hart R4-Turbo

Silverstone (GB) 1983, Spirit 201-Honda V6-Turbo

Toleman (1981-85)

RAM (1984-85)
Spirit (1983-84)

Technology, Design

Silverstone (GB) 1991, Dallara 191-Judd V10

Montreal (CDN) 1990, Coloni FC189B-Subaru F12

Monaco 1990, Life L190 W12

Monaco 1991, AGS JH25-Cosworth V8

Dallara (1986-92)
Life (1990)

Coloni (1987-91)
AGS (1986-91)

São Paulo (BR) 1993, Larrousse LH93-Lamborghini V12

Monaco 1994, Pacific PR01-Illmor V10

Larrousse (1992-94)
Pacific (1994-95)

Technology, Design

Hungaroring (H) 1994, Simtec S941-Cosworth V8

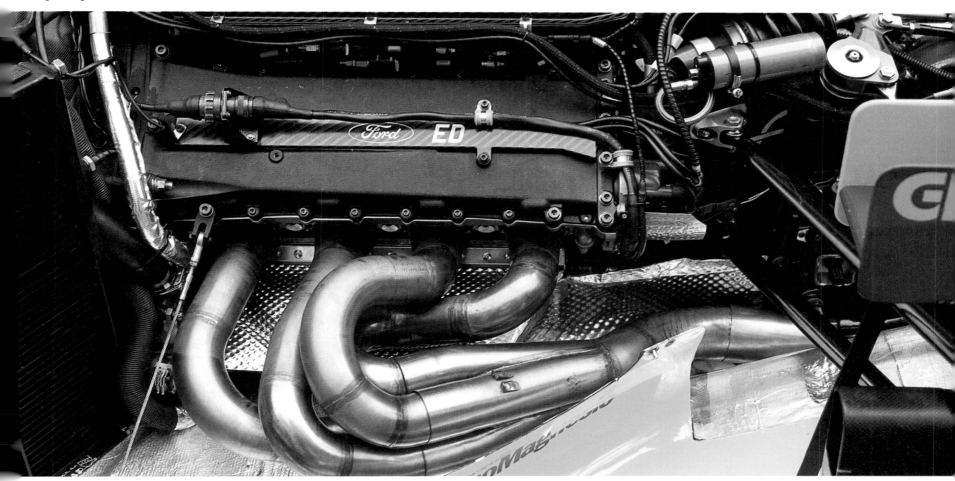

Monaco 1995, Forti FG01-95-Cosworth V8

Simtec (1994-95)
Forti (1995-96)

Monza (I) 1967, Enzo Ferrari

More than ever before the grands prix are a magnet attracting the rich, the mighty and the beautiful of this world. They see and are seen, profiting from the charisma of this sport and contributing to it as well. Some of its protagonists have become stars themselves, from the supremo of the Formula 1 circus via its team bosses to some prominent journalists. But the part of the woman has changed fundamentally. Gone are the days of the caring drivers' wives making themselves useful by means of stopwatch and lap chart, a moving chapter from the past. Even groupies, once part and parcel of the scene, have to bide their time behind the electronic gates that grant access to the holy of holies. It is still the drivers' wives that are admitted, but, as a rule, entering without stop watch and spring folder, or ladies who are reduced to a strictly ornamental function, or the many female employees just earning their keep in the everyday grand prix chore.

Meer dan ooit is de Grand Prix een magneet voor de rijke, mooie en machtige mannen en vrouwen van deze wereld. Onder het motto 'zien en gezien worden' profiteren zij van het charisma van deze sport en dragen er tegelijkertijd zelf toe bij. Enkele protagonisten van de Grand Prix zijn zelf sterren geworden, zoals de chef van het Formule 1-circus, de teamchefs en enkele vooraanstaande journalisten. Een fundamentele verandering heeft de rol van de vrouw ondergaan. Het beeld van de bezorgde echtgenote van de coureur met een stopwatch en rondenschema is allang verleden tijd. Zelfs de groupie moet normaal gesproken voor de elektronische poort naar de 'renhemel' wachten. Toegang hebben alleen de vrouw of vriendin van de coureur – zondèr stopwatch en klembord –, de pitspoezen en uiteraard alle vrouwelijke medewerkers die deel uitmaken van het Grand Prix-circus.

Nürburgring (EU) 1999, Luca di Montezemolo

Bosses, Women, VIPs
Bazen, vrouwen, vips

▼ Modena (I) 1951, Enzo Ferrari

▼ 1954, Mercedes team manager Alfred Neubauer

▼ Reims (F) 1960, John Cooper

▼ Monza (I) 1965, Jo Siffert (left) with John Cooper

▼ Zandvoort (NL) 1967, Cosworth founder Keith Duckworth, head of the Lotus team Colin Chapman, and drivers

▼ Monza (I) 1967, Enzo Ferrari   ▼ 1967, Ferrari sporting director E. Dragoni, M. Forghieri

▼ Monaco 1965, Rob Walker, Jo Siffert

▼ Zolder (B) 1975, Rob Walker (left) and Lord Hesketh

▼ Brands Hatch (GB) 1974, engineer Mauro Forghieri and Ferrari sporting director Luca di Montezemolo

▼ Brands Hatch (GB) 1976, Teddy Mayer, McLaren

▼ Zeltweg (A) 1975, Ken Tyrrell

▼ 1000km Nürb. (D) 1971, Carlo Chiti (Alfa Romeo)

▼ Monza (I) 1970, Enzo Ferrari and Franco Lini, journalist and former Ferrari sporting director

▼ Brands Hatch (GB) 1978, Frank Williams

▼ Hockenheim (D) 1979, Colin Chapman, Lotus

▼ Brands Hatch (GB) 1974, Teddy Yip, Ensign boss

▼ Monza (I) 1977, Peter Warr, Walter Wolf

▼ Imola (RSM) 1981, Frank Dernie, Frank Williams

▼ Imola (RSM) 1987, Jean-Marie Balestre (left), Frank Williams and wife

▼ Monza (I) 1986, Patrick Head (Williams)

▼ Silverstone (GB) 1988, Gustav Brunner (Rial)

▼ Hockenheim (D) 1987, Ron Dennis (McLaren)

▼ Dijon (F) 1981, Mansour Ojjeh (TAG Group)

▼ Jerez (E) 1989, John Barnard (Ferrari)

▼ Hockenheim (D) 1980, David Thieme (Essex Lotus)

▼ Monaco 1981, Bernie Ecclestone (FOCA)

▼ Zandvoort (NL) 1982, M. Forghieri, D. Pironi (Ferrari)

▼ Brands Hatch (GB) 1984, Hans Mezger (Porsche)

▼ Zolder (B) 1980, Günther Schmid, Hans Heyer

▼ Monza (I) 1986, Gérard Ducarouge (Lotus)

▼ Jerez (E) 1989, J.-P. van Rossem (Onyx)

▼ Monaco 1988, Günther Schmid, Andrea de Cesaris

▼ Nürburgring (EU) 1984, Gordon Murray, Paul Rosche and Bernie Ecclestone (in the background)

▼ Monaco 1985, Erich Zakowski (Zakspeed)

▼ Brands Hatch (GB) 1986, Ken Tyrrell

▼ Kyalami (ZA) 1993, Frank Williams, Alain Prost

▼ Montreal (CDN) 1993, Flavio Briatore (Benetton)

▼ Buenos Aires (RA) 1996, Patrick Head (Williams)

▼ Silverstone (GB) 1993, Jean Todt, Niki Lauda and Harvey Postlethwaite (all Ferrari)

▼ Aida (J) 1994, Ross Brawn (Benetton)

▼ Magny-Cours (F 1997, Ross Brawn (Ferrari)

Bosses

▼ Montreal (CDN) '91, R. Dennis, N. Oatley (McLaren)

▼ Monza (I) 1995, Ron Dennis (McLaren)

▼ Imola (RSM) 1998, J. Hubbert, N. Haug (Mercedes)

▼ Imola (RSM) 1992, F. Briatore, T. Walkinshaw

▼ Silverstone (GB) 1996, Luca di Montezemolo (Ferrari president) and Giovanni Agnelli (Fiat president)

▼ Hungaroring (H) 1997, Peter Sauber

▼ Imola (RSM) 1991, Eddie Jordan

▼ Melbourne (AUS) 1998, David Richards (Benetton)

▼ Melbourne (AUS) 1999, Craig Pollock (BAR)

Bazen

▼ Monza (I) 2000, Jean Todt (Ferrari)

▼ Silverstone (GB) 2003, Ross Brawn (Ferrari)

▼ Imola (RSM) 2002, Luca di Montezemolo

▼ Monaco 2003, Mario Theissen (BMW)

▼ Magny-Cours (F) 2003, Frank Williams, Patrick Head

▼ Sepang (MAL) 2001, the BMW-Williams team

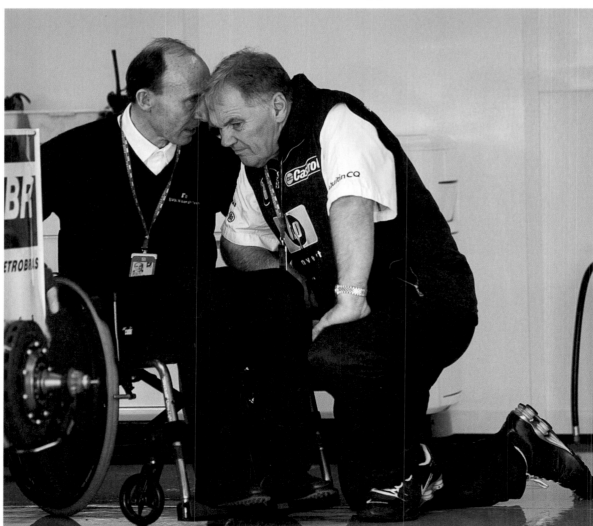

▼ A1-Ring (A) 2003, Hiroshi Yasukawa (Bridgestone)

▼ Imola (RSM) 2002, Jürgen Hubbert (Mercedes) and Luca di Montezemolo (Ferrari)

▼ Melbourne (AUS) 2001, Pierre Dupasquier (Michelin)

▼ Barcelona (E) 2002, Ron Dennis (McLaren)

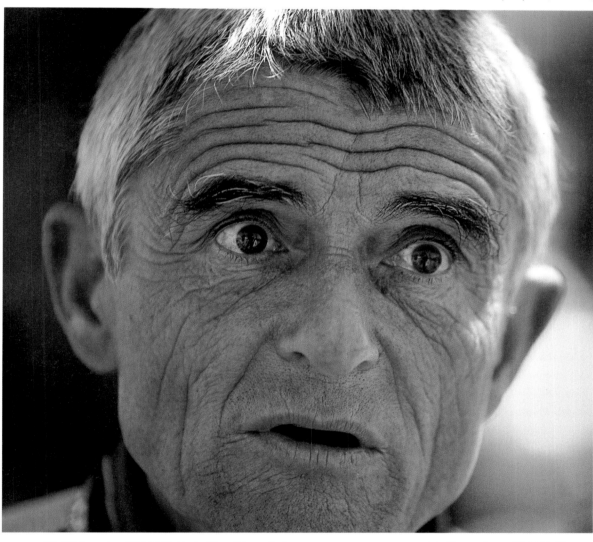

▼ Imola (RSM) 2002, Adrian Newey (McLaren)

▼ Nürburgring (EU) 2003, Mario Illien (Mercedes)

▼ Magny-Cours (F) 2003, Werner Laurentz, Ron Dennis and Norbert Haug (all McLaren Mercedes)

Bazen

373

▼ Hockenheim (D) 2003, Flavio Briatore (Renault)

▼ Barcelona (E) 2001, Niki Lauda (Jaguar), Gerhard Berger (BMW)

▼ A1-Ring (A) 2003, Ove Andersson (Toyota)

▼ Nürburgring (EU) 2003, Beat Zehnder, Team Sauber and Peter Sauber

▼ Nürburgring (EU) 2002, Gustav Brunner (Toyota)

Bosses

▼ São Paulo (BR) 2003, K.-H. Zimmermann, cook

▼ São Paulo (BR) 2002, Paul Stoddart (Minardi)

▼ Melbourne (AUS) 2001, Craig Pollock (BAR)

▼ Sepang (MAL) 2003, David Richards (BAR)

▼ Sepang (MAL) 2003, Eddie Jordan

▼ Silverstone (GB) 2003, D. Mateschitz (Red Bull)

▼ Spa-Francorchamps (B) 2001, Alain Prost

▼ Spa-Francorch. (B) 2001, T. Walkinshaw (Arrows)

▼ São Paulo (BR) 2001, Giancarlo Minardi

▼ Hockenheim (D) 1983, Prince von Metternich and the author

▼ Hockenheim (D) 1981, Jean-Marie Balestre and Max Mosley (left)

▼ Brands Hatch (GB) 1978, FOCA boss Bernie Ecclestone with lawyer Max Mosley

▼ Nürburgring 2003, Pasquale Lattuneddu and Pat Behar

▼ Silverstone (GB) 2003, Bernie Ecclestone and Arnold Schwarzenegger on the grid

▼ Silverstone (GB) 2002, Prof. Sid Watkins

▼ Indianapolis (USA) 2003, Bernie Ecclestone with title contenders Montoya, Schumacher and Räikkönen

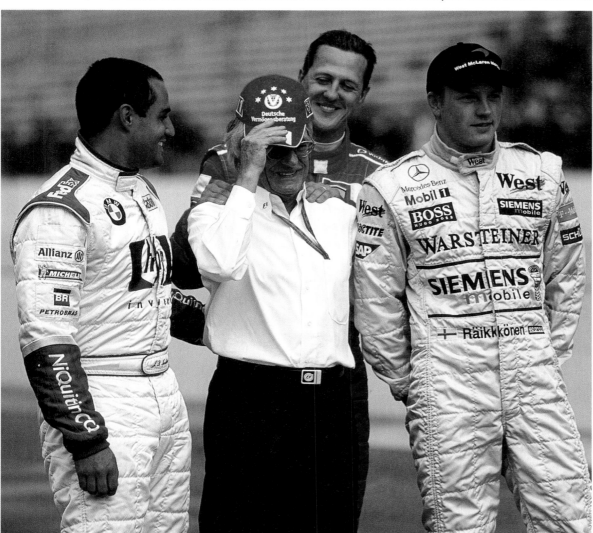

▼ Imola (RSM) 2002, Max Mosley, FIA president

▼ A1-Ring (A) 1998, Charlie Whiting, Herbie Blash

▼ Spa-Francorchamps (B) 1968, Bette Hill, Colin Chapman

▼ Monza (I) 1970, Pedro Rodriguez' girlfriend

▼ Monza (I) 1967, J. Ramirez assists a film model

▼ Zeltweg (A)1970, Ms de Adamich as timekeeper

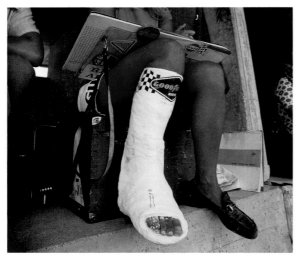

▼ Zandvoort (NL) 1970, unknown timekeeper

▼ Monza (I) 1972, Pat Surtees

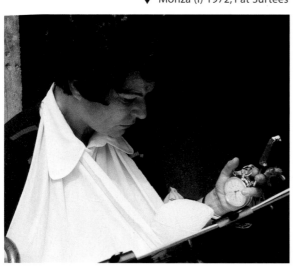

Women

▼ Le Castellet (F) 1975, Pamela Scheckter and Norah Tyrrell

▼ Hockenheim (D) 1970, Helen Stewart, enthusiastic "Motorsport" reader

▼ Monza (I) 1970, Nina Rindt

▼ Monza (I) 1970, 'Get the tiger…'

▼ Monza (I) 1967, Goodyear's female tyre experts?

▼ Monza (I) 1969, sixties' pit babe

▼ Monaco 1983, exhibitionist and a Ferrari

▼ Zeltweg (A) 1984, an as yet unknown beauty

▼ Long Beach (USAW) 1983, Formula One groupie

▼ Buenos Aires (RA) 1997, open-hearted photo model

▼ Monaco 1998, Eddie Irvine fan

▼ Melbourne (AUS) 1999, amateur grid girl

▼ Hockenheim (D) 1999, a Mercedes VIP guest

▼ Hockenheim (D) 1994, Dolly Buster with Max F.

▼ Silverstone (GB) 2003, Kristanna Loken, film star

Vrouwen

▼ Hungaroring (H) 1986, grid girl at the first GP

▼ Hungaroring (H) 2003, grid girl at the eighteenth GP

▼ Barcelona (E) 2000, line-up of the Marlboro girls for the drivers' parade

▼ Hungaroring (H) 2003, snapshot on the grid

Women

▼ Barcelona (E) 2002, waiting for the drivers' parade

▼ Barcelona (E) 2000, tireless cameramen

▼ Imola (I) 1980, preparing for the grid

▼ Rio de Janeiro (BR) 1988

▼ Brands Hatch (GB) 1968

▼ Imola (RSM) 1984

▼ Kyalami (ZA) 1992

▼ Kyalami (ZA) 1993

▼ Barcelona (E) 2002

▼ A1-Ring (A) 1998, photo models in front of Max F.

▼ Hungaroring (H) 1999

▼ Monza (I) 1998, without Max F.

▼ Monza (I) 2002

▼ Monza (I) 1997

▼ Hungaroring (H) 1999

▼ Monaco 1964, Patty McLaren and Bruce

▼ Spa-Francorchamps (B) 1963, Graham and Bette Hill

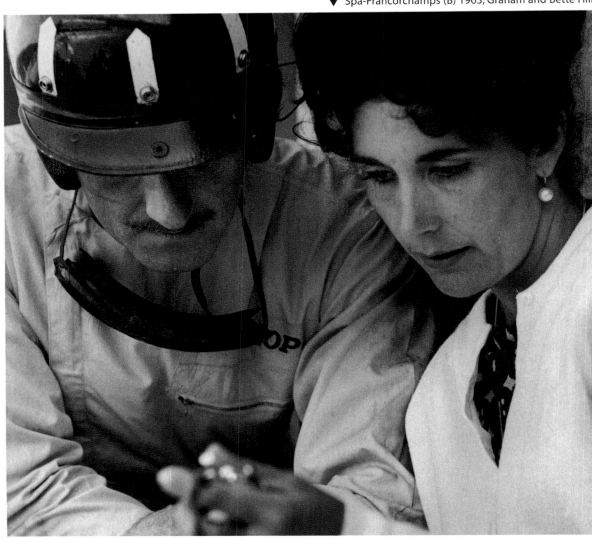

▼ Monza (I) 1962, Ricardo Rodriguez' girlfriend

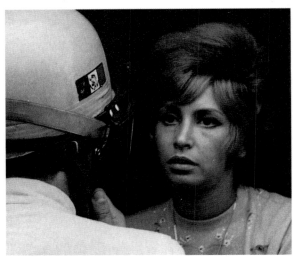

▼ Brands Hatch (GB) 1970, Jochen and Nina Rindt

▼ Monaco 1967, Helen Stewart and Jackie

▼ Le Castellet (F) 1972, Helen Stewart and Jackie

▼ Montreal (CDN) 1999, Michael and Corinna Schumacher, fiancé

▼ A1-Ring (A) 2002, Jenni and boyfriend Kimi

▼ Melbourne (AUS) 2001, Cora and boyfriend Ralf

▼ Silverstone (GB) 1996, Georgie Hill and Damon

▼ Monaco 2002, Connie and fiancée Juan Pablo

▼ Hungaroring (H) 1995, Kumiko and Jean Alesi

▼ Monaco 1966, George Harrison, Jim Clark

▼ Melbourne (AUS) 1999, George Harrison in the Stewart box

▼ Monaco 1974, Liz Taylor with her lover and Helen Stewart

▼ Monaco 1976, Prince Rainier II and Princess Grace during the warm-up lap

▼ Monaco 1998, Hugh Grant, Jean Todt and Liz Hurley

▼ Montreal (CDN) 2003, Ozzy Osbourne with Juan Pablo Montoya

▼ Barcelona (E) 2001, King Juan Carlos of Spain

▼ Nürburgring (LX) 1997, Helmut Kohl

▼ Hungaroring (H) 1998, Sylvester Stallone

▼ Silverstone (GB) 2003, Jockey Frankie Dettori, Bernie Ecclestone and Arnold Schwarzenegger

▼ Monza (I) 1991, Brigitte Nielsen, M. Schumacher

2000, N. Campbell with S. Ecclestone and children

▼ Monaco 2003, Heidi Klum

Number of wins per driver/Gewonnen races per coureur (without/zonder Indianapolis)

Michael Schumacher	70	Ronnie Peterson	10	Thierry Boutsen	3	Giancarlo Fisichella	1
Alain Prost	51	James Hunt	10	Mike Hawthorn	3	P. Gethin	1
Ayrton Senna	41	Denny Hulme	8	Didier Pironi	3	Richie Ginther	1
Nigel Mansell	31	Jacky Ickx	8	Johnny Herbert	3	I. Ireland	1
Jackie Stewart	27	Rubens Barrichello	7	Phil Hill	3	Jochen Mass	1
Niki Lauda	25	René Arnoux	7	Patrick Depailler	2	Alessandro Nannini	1
Jim Clark	25	Riccardo Patrese	6	Elio de Angelis	2	G. Nilsson	1
Juan Manuel Fangio	24	Ralf Schumacher	6	Patrick Tambay	2	Carlos Pace	1
Nélson Piquet	23	Jacques Laffite	6	Froilan Gonzalez	2	Olivier Panis	1
Damon Hill	22	John Surtees	6	Maurice Trintignant	2	Kimi Räikkönen	1
Mika Häkkinen	20	Jochen Rindt	6	Pedro Rodriguez	2	L. Scarfiotti	1
Stirling Moss	16	Gilles Villeneuve	6	Jo Siffert	2	P. Taruffi	1
Emerson Fittipaldi	14	Tony Brooks	6	Peter Revson	2		
Graham Hill	14	Clay Regazzoni	5	Wolfgang von Trips	2		
Jack Brabham	14	Michele Alboreto	5	Jean Alesi	1		
David Coulthard	13	John Watson	5	Fernando Alonso	1		
Alberto Ascari	13	Keke Rosberg	5	G. Baghetti	1		
Carlos Reutemann	12	Nino Farina	5	Lorenzo Bandini	1		
Alan Jones	12	Bruce McLaren	4	Jean Pierre Beltoise	1		
Mario Andretti	12	Eddie Irvine	4	J. Bonnier	1		
Jacques Villeneuve	11	Dan Gurney	4	V. Brambilla	1		
Gerhard Berger	10	Heinz-Harald Frentzen	3	François Cévert	1		
Jody Scheckter	10	Juan Pablo Montoya	3	L. Fagioli	1		

Total number of points per driver/Puntentotaal per coureur

Michael Schumacher	1038	Jean Alesi	241	Alberto Ascari	140.7	Tony Brooks	75
Alain Prost	798.5	Ralf Schumacher	235	Dan Gurney	133	Maurice Trintignant	72.3
Ayrton Senna	610	Jacques Laffite	228	Thierry Boutsen	132	Pedro Rodriguez	71
Nélson Piquet	485.5	Jacques Villeneuve	219	Mike Hawthorn	127.7	Jochen Mass	71
Nigel Mansell	482	Clay Regazzoni	212	Nino Farina	127.3	Derek Warwick	71
David Coulthard	451	Ronnie Peterson	206	Kimi Räikkönen	124	Eddie Cheever	70
Niki Lauda	420.5	Alan Jones	206	Elio de Angelis	122	Olivier Panis	70
Mika Häkkinen	420	Bruce McLaren	196.5	Jochen Rindt	109	Jo Siffert	68
Gerhard Berger	386	Eddie Irvine	191	Patrick Tambay	103	Jarno Trulli	68
Damon Hill	360	Stirling Moss	186.7	Richie Ginther	102	Alessandro Nannini	65
Jackie Stewart	360	Michele Alboreto	186.5	Gilles Villeneuve	101	Peter Revson	61
Rubens Barrichello	337	Jacky Ickx	181	Didier Pironi	101	Andrea de Cesaris	59
Carlos Reutemann	310	René Arnoux	181	Martin Brundle	98	Lorenzo Bandini	58
Emerson Fittipaldi	281	John Surtees	180	Johnny Herbert	98	Carlos Pace	58
Riccardo Patrese	281	Mario Andretti	180	Phil Hill	98	Wolfgang von Trips	56
Graham Hill	289	James Hunt	179	Giancarlo Fisichella	94	Fernando Alonso	55
Jim Clark	274	Heinz-Harald Frentzen	174	François Cévert	89	Jean Behra	53.1
Jack Brabham	261	John Watson	169	Stefan Johansson	88		
Denny Hulme	248	Juan Pablo Montoya	163	Jean Pierre Beltoise	83	(Drivers with less than 50 points are	
Jody Scheckter	255	Keke Rosberg	159.5	Chris Amon	83	not listed/Coureurs met minder dan	
Juan Manuel Fangio	277.1	Patrick Depailler	141	Froilan Gonzalez	77.7	50 punten zijn niet vermeld)	

Number of pole positions per driver/Aantal pole positions per coureur

(without /zonder Indianapolis)

Ayrton Senna	65	Stirling Moss	13	Keke Rosberg	5	Gilles Villeneuve	2
Michael Schumacher	55	Jacky Ickx	13	Patrick Tambay	5	Jo Siffert	2
Nigel Mansell	32	Alberto Ascari	13	Chris Amon	5	Fernando Alonso	2
Alain Prost	32	David Coulthard	12	Ralf Schumacher	4	Lorenzo Bandini	1
Jim Clark	29	Gerhard Berger	12	Mike Hawthorn	4	Thierry Boutsen	1
Mika Häkkinen	26	Jack Brabham	11	Didier Pironi	4	Andrea de Cesaris	1
Juan Manuel Fangio	25	Juan Pablo Montoya	11	Jody Scheckter	3	Patrick Depailler	1
Niki Lauda	24	Jochen Rindt	10	Dan Gurney	3	Giancarlo Fisichella	1
Nélson Piquet	24	Rubens Barrichello	9	Nino Farina	3	Denny Hulme	1
Damon Hill	20	Riccardo Patrese	8	Elio de Angelis	3	Carlos Pace	1
Mario Andretti	18	John Surtees	8	Froilan Gonzalez	3	Peter Revson	1
René Arnoux	18	Jacques Laffite	7	Tony Brooks	3	Wolfgang von Trips	1
Jackie Stewart	15	Carlos Reutemann	6	Jean Alesi	2		
James Hunt	14	Alan Jones	6	Michele Alboreto	2		
Ronnie Peterson	14	Emerson Fittipaldi	6	Heinz-Harald Frentzen	2		
Graham Hill	13	Phil Hill	6	John Watson	2		
Jacques Villeneuve	13	Clay Regazzoni	5	Kimi Räikkönen	2		

Number of world championship titles per driver/Aantal wereldtitels per coureur

6 titles/titels

M. Schumacher	1994 – 95 – 2000 – 01 - 02 -03

5 titles/titels

J.M. Fangio	1951 – 54 – 55 – 56 - 57

4 titles/titels

A. Prost	1985 – 86 – 89 - 93

3 titles/titels

J. Brabham	1959 – 60 - 66
J. Stewart	1969 – 71 - 73
N. Lauda	1975 – 77 - 84
N. Piquet	1981 – 83 - 87
A. Senna	1988 – 90 - 91

2 titles/titels

A. Ascari	1952 – 53
G. Hill	1962 – 68
J. Clark	1963 – 65
E. Fittipaldi	1972 – 74
M. Hakkinen	1998 – 99

1 title/titel

G. Farina	1950
M. Hawthorn	1958
P. Hill	1961
J. Surtees	1964
D. Hulme	1967
J. Rindt	1970
J. Hunt	1976
M. Andretti	1978
J. Scheckter	1979
A. Jones	1980
K. Rosberg	1982
N. Mansell	1992
D. Hill	1996
J. Villeneuve	1997

Number of world championship titles per make/Aantal wereldtitels per constructeur

14x

Ferrari	1961 – 64 – 75 – 76 – 77 – 79 – 82 – 83 – 99 – 2000 – 01 – 02 – 03

9x

Williams	1980 – 81 – 86 – 87 – 92 – 93 – 94 – 96 – 97

8x

McLaren	1974 – 84 – 85 – 88 – 89 – 90 – 91 – 98

7x

Lotus	1963 – 65 – 68 – 70 – 72 – 73 – 78

2x

Brabham	1966 – 67
Cooper	1959 – 60

1x

Benetton	1995
BRM	1962
Matra	1969
Tyrrell	1971
Vanwall	1958

Number of GP contested per make/Aantal GP-races per constructeur (without/zonder Indianapolis)

Ferrari	686	Jaguar	67
McLaren	559	Matra	60
Lotus	491	Zakspeed	54
Williams	470	Hesketh	52
Tyrrell	430	Stewart	49
Brabham	394	AGS	48
Arrows	382	Larrousse	48
Ligier	326	Wolf	47
Benetton	317	Gordini	40
Minardi	287	Honda	35
March	230	Theodore	34
Jordan	213	Penske	32
BRM	197	Porsche	31
Sauber	179	Vanwall	28
Renault	156	Eagle	25
Lola	139	Forti	23
Osella	132	Pacific	22
Cooper	129	Simtek	21
Surtees	118	Rial	20
Alfa Romeo	112	Lola Haas	19
Fittipaldi	104	Onyx	17
Shadow	104	Toyota	17
ATS	99	Parnelli	16
Ensign	99	Talbot	13
Prost	83	Mercedes	12
Dallara	78	Merzario	10
Maserati	69	Lancia	4
BAR	67		

Number of wins per engine/Gewonnen races per motor
(without/zonder Indianapolis)

Ford	175
Ferrari	167
Renault	96
Honda	71
Climax	40
Mercedes	42
TAG Turbo	25
BRM	18
BMW	18
Alfa Romeo	12
Maserati	11
Vanwall	9
Repco	8
Mugen-Honda	4
Matra	3
Porsche	1
Weslake	1

Number of pole positions per make/Aantal pole positions per constructeur
(without/zonder Indianapolis)

Ferrari	166
Williams	123
McLaren	114
Lotus	107
Brabham	39
Renault	33
Benetton	16
Tyrrell	14
Alfa Romeo	12
BRM	11
Cooper	11
Maserati	10
Ligier	9
Mercedes	8
Vanwall	7
March	5
Matra	4
Shadow	3
Jordan	2
Lancia	2
Arrows	1
Honda	1
Lola	1
Porsche	1
Stewart	1
Wolf	1

Number of of pole positions per engine/Aantal pole positions per motor (without/zonder Indianapolis)

Ferrari	166
Ford	139
Renault	137
Honda	74
Climax	44
Mercedes	43
BMW	30
Alfa Romeo	15
BRM	11
Maserati	11
Repco	7
TAG Turbo	7
Vanwall	7
Matra	4
Hart	2
Lancia	2
Mecachrome	1
Mugen-Honda	1
Porsche	1

Abbreviations/Afkortingen

A	Austria/Oostenrijk	GB	Great Britain/Groot-Brittannië	P	Portugal/Portugal
AUS	Australia/Australië	H	Hungary/Hongarije	RA	Argentina/Argentinië
B	Belgium/België	I	Italy/Italië	RSM	San Marino/San Marino
BR	Brazil/Brazilië	J	Japan/Japan	S	Sweden/Zweden
CDN	Canada/Canada	L	Luxemburg/Luxemburg	USA	United States/Verenigde Staten
CH	Switzerland/Zwitserland	MA	Morocco/Marokko	USAE	United States (East)/ Verenigde Staten Oost
D	Germany/Duitsland	MAL	Malaysia/Maleisië		
E	Spain/Spanje	MC	Monaco/Monaco	USAW	United States (West)/
EU	Europe/Europa	MEX	Mexico/Mexico		Verenigde Staten West
F	France/Frankrijk	NL	Netherlands/Nederland	ZA	South Africa/Zuid-Afrika

(Source/Bron: MARLBORO GRAND PRIX GUIDE, Jacques Deschenaux)

Photo Credit

All pictures © Schlegelmilch Photography, except the following:

© Bernard Cahier:
Pages 13 u, 14 u, 15 ul, 16 except ol, 17, 18 u, 19 except mr, 22 ol u, 23 ur, 156, 157, 158 o, 178, 179 ol u, 220 o.
© Collection Maniago:
Pages 10, 11, 12, 13 o, 14 ol or, 15 ol or ur, 16 ol, 18 ol or, 22 or, 23 o ul um, 154, 179 or, 244, 346 ol or, 354 o ml ul, 364 ol u.
© Daimler-Benz Classic Archiv:
Pages 8, 364 ol.

Legend:
o = above, u = below, l = left, r = right, m = center

© 2004 Feierabend Verlag OHG
Mommsenstr. 43, D-10629 Berlin

Idea and concept: Rainer W. Schlegelmilch, Peter Feierabend

© Photos: Rainer W. Schlegelmilch
Text: Hartmut Lehbrink with the exception of the captions, which were written by Atelier Schlegelmilch

Art Direction & Design: Erill Vinzenz Fritz
Layout: Stefano Luzzatto, Rainer W. Schlegelmilch
Picture Desk: Martin Trenkler
Translation into English: Hartmut Lehbrink
Translation of the English Captions: Aingeal Flanagan
Translation into Dutch: Gerrit ten Bloemendal, Geert Lemmens and Ulrike Sawicky for bookWerk
Typesetting: Roman, Bold & Black
Production: Michael von Capitaine
Lithography: LUP AG, Hürth
Printing and Binding: Stalling GmbH, Oldenburg
Printed on M-Real EURO BULK 135 g/qm

Printed in Germany
ISBN 3-89985-324-5
26 09030 1